marie-catherine michaud/.
mai 95.
D0239286

RENDEZ-VOUS DANS LES

HIMALAYAS

TOME 2

LES ENSEIGNEMENTS

Du même auteur:

PARTICIPER À L'UNIVERS,
sain de corps et d'esprit

VIVRE EN HARMONIE
avec soi et les autres

RENDEZ-VOUS DANS LES HIMALAYAS (Tome I)
Ma quête de vérité

DISTRIBUTEURS:

- Pour le Québec:
  QUÉBEC-LIVRES
  4435, Bl. des Grandes Prairies
  Saint-Léonard, (Qué.) H1R 3N4
  Tél.: (514) 327-6900 Fax.: (514) 329-1148

- Pour la France:
  LES MESSAGERS DE L'ÉVEIL
  34, rue du 4 septembre
  24290 Montignac
  Tél.: (33.1) 53.50.76.31 Fax.: (33.1) 53.51.05.69

- Pour la Belgique:
  VANDER
  321 B, avenue des Volontaires
  1150 Bruxelles
  Tél.: (322) 762 9804 Fax.: (322) 762 0662

- Pour la Suisse:
  DIFFUSION TRANSAT S.A.
  Route des Jeunes, 4ter, C.P. 125
  1211 Genève 26
  Tél.: (41-22) 342-77-40 Fax.: (41-22) 343-46-46

Claudia Rainville

RENDEZ-VOUS DANS LES HIMALAYAS

TOME 2

LES ENSEIGNEMENTS

LES ÉDITIONS FRJ

Copyright
©1993 Claudia Rainville

Dépôt légal: Bibliothèque nationale du Québec
Dépôt légal: Bibliothèque nationale du Canada
Quatrième trimestre 1993
ISBN 2-9801558-5-3
1ère édition, 2e impression

Les Éditions F.R.J. inc.

153 du Sommet
Vermont sur le Lac
Stoneham (Québec)
Canada
GOA 4P0

Tél.: (418) 848-4290 Fax.: (418) 848-5442

Tous droits réservés.
Toute reproduction ou traduction partielle
ou totale de ce volume est interdite sans
l'autorisation de la maison d'édition.

À ceux et celles
qui ont des yeux
pour voir et des oreilles
pour entendre

REMERCIEMENTS

Que serait la race humaine sans ses instructeurs et ses guides?

Ma gratitude la plus profonde s'adresse tout d'abord à ces Maîtres, d'hier et d'aujourd'hui, ainsi qu'à leurs disciples qui, par leur travail et leurs recherches, nous ont transmis toute leur sagesse par voie orale ou par le biais de l'écriture.

Que serait un livre sans l'équipe qui a contribué à sa réalisation?

Un merci tout spécial s'adresse à Richard, mon époux bien-aimé, qui m'a soutenue et encouragée à chaque étape de l'écriture de ce volume ainsi qu'à nos enfants qui ont fait preuve de compréhension en me laissant toute la liberté nécessaire à sa réalisation.

Je remercie tous les membres de l'équipe d'y avoir mis tout leur cœur:

Micheline Chamberland (correction, mise en pages et réalisation)
Marielle Chicoine (révision linguistique)
Claudette Harvey, Brigitte Rajotte, France Dallaire et Lyselle Ouellet (saisie de textes)
Normand et Sylvain Chamberland (révision et mise en pages)
Claire Gagnon (graphisme)
toute l'équipe de l'Imprimerie Gagné

et, bien sûr, mes précieuses assistantes-thérapeutes:
Véronique Lacourse et Ginette Laliberté.

AVANT-PROPOS

D'où venons-nous?
Où allons-nous?
Quel est le but de notre vie sur terre?

Ces questions fondamentales, tous les êtres humains se les posent un jour ou l'autre.

Socrate disait: «Connais-toi toi-même, et tu connaîtras le monde.»

Lors de mon second voyage en Inde, j'ai rencontré à Varanassi celui que l'on surnomme «le sage du Gange», Nila Baba. Je l'ai interrogé sur la raison qui, selon lui, m'avait entraînée dans cette nouvelle odyssée. Il m'a répondu: «Tu es venue en Inde pour savoir qui tu es.»

Cette réponse m'avait un peu surprise, car je croyais bien me connaître.

Ce que je connaissais déjà pouvait se comparer à ce que l'on voit en regardant par le trou d'une serrure. Puis, une fenêtre s'est ouverte, me révélant de nouvelles perspectives. Enfin, ce rendez-vous dans les Himalayas fut une porte sur la connaissance.

Aujourd'hui, je sais qu'au-delà de cette porte, c'est l'infini. Il y aura toujours un sommet plus haut, un cantique plus beau, un amour plus grand, une connaissance plus avancée... La vie ne s'arrête jamais, elle est en perpétuel changement. C'est la signification du puissant *mantra* bouddhique :

Om Gaté, Gaté Gaté, Paragaté, Parasamgaté.

«L'Absolu est au-delà, bien au-delà, très très au-delà de tout ce que nous pouvons imaginer.»

Ces enseignements que j'ai reçus avec ma compréhension d'Occidentale, je les redonne maintenant à d'autres Occidentaux. J'ai voulu les rendre le plus simples, afin qu'ils réveillent en toi le goût du dépassement. Peut-être ainsi connaîtras-tu le bonheur de retrouver ta source.

Je tiens à souligner que n'ayant été moi-même qu'une étudiante sur la voie, des erreurs de compréhension ont pu se glisser. C'est pourquoi je te recommande d'expérimenter ce qui t'est proposé, plutôt que d'y croire aveuglément. De cette façon, tu trouveras tes propres certitudes.

En souhaitant que ce volume soit pour toi une fenêtre ou une porte ouverte sur ta recherche du bonheur et de la vérité, je te l'offre avec tout mon amour.

Claudia

Le temps m'est venu
de me mettre à nu
de dire qui je suis
afin que se révèle le «JE SUIS».
Quelques-uns savaient,
peu se doutaient,
et il le fallait
pour que se réalisent les faits.
Frères et soeurs de la Lumière
sont maintenant conviés
à la grande mission d'Unité.
Des quatre coins de la Terre,
en harmonie avec l'Univers,
le rassemblement a sonné.
Les instructions sont données:
enseignez toutes les nations,
élevez toute vibration,
aimez, partagez, rayonnez,
semez la joie, montrez la voie
soyez la loi, ayez la foi.
Que vos yeux soient tournés
vers l'étincelle de Vérité.
À la source, abreuvez-vous,
de la Lumière, souvenez-vous,
lorsque la transition
entrera dans vos maisons.

LA RECHERCHE DU BONHEUR

Tous les êtres cherchent le bonheur.

Cependant, la vision qu'ils en ont peut être très différente d'une personne à l'autre.

Pour la personne célibataire, le bonheur peut prendre la forme d'une rencontre avec l'âme sœur; pour celle qui vit de l'assistance sociale, il peut consister en un gain important à la loterie; pour cette autre qui est malade, il se résume à recouvrer la santé.

La grande majorité des êtres humains recherchent le bonheur dans la satisfaction de leurs désirs ou dans la réalisation de leurs rêves. Cela donne lieu à des attentes qui se transforment très souvent en déception, en frustration et, parfois, en un profond sentiment de manque ou d'échec.

Cette forme de bonheur conditionnel n'apporte que des joies bien éphémères et tout un cortège de souffrances.

C'est ainsi que j'ai moi-même recherché le bonheur.

LES RÉFÉRENCES DE NOTRE PASSÉ

Jusqu'à l'âge de six ans, je ne m'étais jamais demandé ce qui pouvait contribuer à mon bonheur. L'innocence et les joies de la petite enfance, vécue dans l'entourage de mes grands-parents maternels, ne m'avaient pas encore révélé les tourments que la vie me réservait.

Tout changea après le décès de mon père, lorsque ma mère fut contrainte de reprendre les enfants dont il avait eu la charge au moment de leur séparation. Sans le sou, ma mère dut faire appel à l'assistance sociale. C'est ainsi que je fus envoyée dans un pensionnat afin d'y entreprendre ma première année scolaire.

J'étais la seule pensionnaire de première année. Timide et craintive, j'essayais de me conformer du mieux que je le pouvais aux règlements de la maison. Heureusement que la bonté de certaines religieuses m'aidait à accepter l'austérité du couvent.

Comme je n'avais pas encore reçu les sacrements requis, je n'étais pas autorisée à participer à la messe du dimanche matin. Aussi allais-je rejoindre les religieuses à la cuisine. C'était pour moi l'un des meilleurs moments de la semaine, car je bénéficiais pendant cette heure d'une attention privilégiée.

Après les fêtes de Noël et du nouvel An, le couvent accueillit une nouvelle pensionnaire de première année. Lors de notre première rencontre, elle tenait dans ses bras une belle poupée vêtue d'une robe de mariée. Je me demandais bien pourquoi elle avait droit à sa poupée alors qu'on m'avait confisqué la mienne. Je ressentais cette situation comme une injustice. Chaque fois que je voyais ma compagne avec sa poupée ou que je pensais à la mienne, je ressentais une impression de manque.

La vie au couvent après cet événement me sembla plus difficile à supporter. Je n'en étais cependant qu'à mes débuts à l'école de la vie. Un autre incident allait avoir sur moi des répercussions importantes.

Une nuit, alors que je souffrais d'un rhume tenace, la responsable du dortoir, que ma toux empêchait sûrement de dormir, s'approcha de moi et me dit: «Va t'installer dans la chambre des malades.» Or, cette chambre possédait un seul lit, et une autre pensionnaire y dormait déjà. Je revins vers la religieuse pour lui demander ce que je devais faire. Pressée sans doute de trouver le sommeil, elle m'expédia dans ma classe. Obéissante, je descendis le long escalier de bois, puis pénétrai dans la pièce obscure. J'avais froid et je me sentais en punition. «Il n'y a pas d'amour dans ce monde, pensai-je. Ma mère, qui m'a envoyée dans ce couvent, ne doit pas m'aimer; pas plus que cette religieuse qui me punit alors que je suis malade.»

Il s'agissait sûrement des premiers moments d'une déprime qui allait m'assaillir par la suite chaque fois que je me sentirais abandonnée.

Le lendemain matin, les religieuses me découvrirent endormie à mon pupitre, la respiration haletante, brûlante de fièvre; je faisais une pneumonie.

Aujourd'hui, avec l'étude de la métamédecine dont je traite dans mon premier ouvrage, on peut constater le lien qui existe entre les voies respiratoires et la vie. Une pneumonie traduit très souvent un profond sentiment de découragement chez la personne n'ayant plus envie de vivre.

Alarmées à mon sujet, les religieuses firent venir le médecin et ma mère. J'eus alors droit à toute l'attention qu'exigeait mon état. Cette sollicitude me réconforta. Dans ma petite tête d'enfant, l'équation suivante prit forme: l'amour, c'est quand une personne s'inquiète pour nous. Donc, pour trouver le bonheur, il fallait être malade.

À mon insu, mon subconscient enregistra cette nouvelle équation, ce qui eut pour conséquence de déclencher d'autres pneumonies.

Selon les médecins, ces affections à répétition s'expliquaient par le fait que je ne pouvais respirer par le nez. L'air froid inhalé par la bouche provoquait un refroidissement dans mes voies respiratoires. L'intervention chirurgicale s'avérait la meilleure solution à mon problème.

Cette fois, je quittai le pensionnat qui me paraissait être une prison d'enfants. Ma mère vint me chercher. J'eus alors droit à quelques jours à la maison, à me laisser câliner par elle après l'opération.

La programmation «maladie = attention» se modifia en «opération = encore plus d'attention». Par la suite, chaque fois que je me sentais seule ou abandonnée, je développais une maladie.

J'étais prête à endurer bien des souffrances pour jouir de la présence de celle que je considérais comme ma source d'amour et d'affection.

Plus tard, dans ma vie d'adulte, je puisais encore dans cette référence («maladie = affection») pour retenir l'attention des êtres que j'aimais. Je ne me rendais pas compte que ce jeu de manipulation contribuait à ruiner ma santé et mes relations affectives. Ayant toujours utilisé ce stratagème, je ne connaissais pas d'autres façons de combler mon manque affectif.

À la fin de ma première année scolaire, je quittai définitivement ce pensionnat. Je fus inscrite dans une autre institution en qualité d'élève externe. C'est là que je fis la connaissance de Josiane, qui devint ma meilleure amie.

Josiane venait d'un milieu plus aisé que le mien. Elle habitait une coquette maison où elle disposait d'une jolie chambre pour elle seule. Lorsqu'elle revenait de l'école, sa mère l'attendait toujours avec une collation qu'elle lui avait préparée, pour ensuite l'aider dans ses devoirs et leçons. Puis son père rentrait en compagnie de sa sœur et de son frère, et la joie fusait dans ce foyer chaleureux.

Jour après jour, j'étais témoin de leur harmonie familiale. C'était cela, l'image du bonheur pour moi, un père qui ne quittait jamais la maison sans embrasser sa femme et ses enfants; une mère présente au foyer; une maison bien entretenue; l'arôme d'une bonne nourriture.

Je comparais intérieurement ma situation à celle de Josiane. Je n'avais pas de père, ma mère n'était jamais là lorsque je rentrais de l'école puisqu'elle se trouvait encore à son travail. Nous habitions un petit logement où nous dormions à cinq dans une même chambre. L'atmosphère qui régnait chez nous était souvent empreinte de peur et de violence.

Dans ma vie, je ne voyais que les manques: manque de joie, d'amour, de tendresse, d'écoute, d'attention, d'espace. Je caressais le rêve de connaître un jour le bonheur de fonder une famille unie.

Malgré cette impression de manque, il y avait quelque chose en moi que je ne partageais avec personne, mais qui constituait ma source de consolation. C'était mon rendez-vous avec Dieu. Cette rencontre était très importante puisque j'y puisais un peu de joie, de même que le courage de continuer à rêver à des jours plus heureux.

Je me levais tôt. Dans le silence des rues, tout juste éveillée, je me rendais à l'église. J'aimais cette solitude matinale, car je me sentais en communion avec la nature, que ce soit dans la féerie des couleurs automnales, sur le tapis de neige vierge où je laissais les traces de mon passage ou encore lorsque je traversais en sautant les petites rigoles formées par la fonte des neiges. Ce moment était toujours propice à l'observation et à l'émerveillement. Souvent je m'entendais fredonner des mélodies avec des mots que je croyais inventer. Dans ces moments privilégiés, j'avais la sensation d'occuper tout mon espace, et je partageais ce secret avec Dieu qui, à cette époque, était pour moi cet Être suprême, ce bon Père des cieux qui nous aime, qui nous pardonne et nous aide.

Vers la fin de mon cours primaire, j'eus d'importants conflits avec une enseignante qui tentait de m'extirper de la carapace dans laquelle je m'enfermais chaque fois qu'elle voulait m'atteindre. Un événement lui fournit - fort probablement à son insu - l'occasion rêvée de donner un grand coup dans mon armure. Elle s'était fait voler son sac à main, et on l'avait retrouvé sur les marches de l'église où je me rendais chaque matin. La somme dérobée était de cinq dollars, soit exactement le montant que j'avais déposé à la petite caisse scolaire. Il n'en fallait pas davantage pour en déduire que c'était moi la voleuse. Je fus donc accusée devant toute la classe, avec recommandation à mes compagnes de me mettre en quarantaine. Même Josiane ne me parlait plus. Et comme si ce n'était pas suffisant, l'enseignante me garda après la classe pour me faire avouer mon méfait. Je ne pouvais m'accuser d'un acte que je n'avais pas commis. Convaincue de ma culpabilité et exaspérée par mon refus, celle-ci me lança: «Oh toi! toi! tu es tellement détestable! Personne ne t'aime. Tes frères, tes sœurs ne t'aiment pas, tes camarades ne t'aiment pas non plus; personne ne t'aimera jamais, car tu es trop détestable.»

Avec les dernières forces qui me restaient, et bien que très profondément atteinte, je revêtis ma carapace d'indifférence. J'étais déjà convaincue que mes frères et sœurs ne m'aimaient pas, mais que mes camarades, y compris ma meilleure amie, acceptent de me mettre en quarantaine venait confirmer les affirmations de l'enseignante. Jamais je n'avais pensé être détestable, mais à partir de ce moment, je me mis à croire que si les autres ne m'aimaient pas, c'était de ma faute. En même temps, je ne comprenais pas pourquoi il en était ainsi. Jamais je n'avais même pensé à voler, il me semblait que je faisais tout pour faire plaisir aux autres, pour être une bonne enfant. Je m'occupais de ma grand-mère. Je faisais son ménage, je lui massais les mains. Je priais tous les jours. Je faisais tout ce que voulait Josiane. Non, je ne comprenais pas... Je quittai la classe, triste, infiniment triste, et allai m'asseoir sur les rochers, au bord de la rivière. Là, je pleurai à chaudes larmes. Mais bientôt ma tristesse se changea en révolte et, à travers mes larmes, je criai à Dieu: «Pourquoi suis-je née? Je n'ai pas demandé à venir au monde! Pourquoi est-ce que je souffre tant? Pourquoi Josiane a-t-elle tout et que moi je n'ai rien? Comment peux-tu être juste et bon, si tu donnes le bonheur à certains et la souffrance aux autres?»

Ce fut sûrement le début d'une longue quête de vérité sur la véritable nature de Dieu et de l'existence, mais à ce moment-là, je ne m'en rendais pas compte. Rejetant la responsabilité de ma souffrance sur l'injustice de Dieu, je décidai de le bouder et je ne retournai plus à l'église.

Cette détresse donna naissance à la haine. Je haïssais cette enseignante, cette école, et même la ville et ses habitants. J'aspirais au changement.

Au bout de la cour de l'école se trouvait un champ bordé par une forêt. Combien de fois ai-je rêvé de partir seule vers ces arbres et de vivre parmi les animaux, loin de ce monde qui pour moi n'était que souffrance?

Lorsque j'eus quatorze ans, le changement auquel j'aspirais tant me parut soudain possible: nous allions déménager dans une autre ville. Il me semblait qu'en quittant cet endroit rempli de souvenirs tristes, une nouvelle vie allait débuter pour moi. Ce fut certes différent, mais ce n'était pas encore ce bonheur auquel j'aspirais tant.

Puis j'ai rencontré Martine. Elle devint ma confidente, ma conseillère, ma thérapeute et mon idéal de sagesse. Nous passions de longues soirées à bavarder ensemble. Ces moments étaient pour moi très précieux. Je l'aurais écoutée pendant des heures sans me lasser. Elle n'avait que quinze ans mais elle me semblait dotée d'une très grande sagesse. Un an plus tard, il fut de nouveau question de déménagement. Si le premier avait été pour moi une délivrance, celui qui s'annonçait m'angoissait, car il allait me faire vivre une séparation, un détachement que je n'avais pas souhaité.

Je fis donc mes adieux à Martine. Nous nous écrivions, nous promettant que notre amitié durerait toujours. Le temps passa. Un an et demi plus tard, l'occasion se présenta de retourner la voir. J'aurais voulu arrêter l'horloge du temps, faire marche arrière afin de me retrouver comme auparavant en sa présence dans cette ambiance amicale agrémentée par un feu de cheminée ou une douce musique. Mais la vie ne revient pas en arrière. Martine avait un amoureux; il n'y avait plus autant de place pour moi dans son cœur.

J'en fus déçue, blessée; je me sentais trahie, et de nouveau, ma tristesse se changea en révolte. Je quittai Martine en pleine nuit, sans même lui dire au revoir.

Longtemps, je l'ai cherchée dans chaque nouvelle amitié que je nouais. Au début, je me disais: «Elle me rappelle Martine», mais ça se terminait toujours par: «Ce n'est pas Martine.»

Il arrive que l'on s'accroche ainsi à des moments de bonheur, au point de souhaiter les revivre avec la même personne, ou avec quelqu'un d'autre. On dit qu'il vaut mieux ne jamais retourner là où on a vraiment été heureux. Cette affirmation se vérifie lorsque nous craignons que de tels moments ne se répètent plus.

La vie se charge de nous enseigner l'importance du détachement, et c'est souvent après de nombreuses souffrances que nous comprenons la leçon. Comme je ne l'avais pas intégrée, bien d'autres expériences plus douloureuses les unes que les autres m'attendaient sur la voie de mon évolution.

À dix-sept ans, je connus celui que je croyais être l'homme de ma vie. Dans ma naïveté, je pensais que le fait de plaire à une personne du sexe opposé m'assurait de son amour et que celui de trouver un homme séduisant signifiait qu'on l'aimait. Nos goûts et nos intérêts étaient en totale opposition. Toutefois, je me disais qu'il changerait pour moi. Après quelques années de fréquentations, je me lassai de son immaturité et de mes tentatives infructueuses pour le changer. J'ouvris alors la porte à celui qui allait devenir mon premier mari. Il était de douze ans mon aîné alors que le précédent était mon cadet d'un an. Avec le recul, je réalise maintenant que j'agissais en réaction, du moins au début. Il en est très souvent ainsi quand nous sommes à la recherche du bonheur: nous passons d'un extrême à l'autre.

Ce nouveau venu dans ma vie était le père que je n'avais pas eu et que j'avais toujours souhaité avoir. Il m'appelait «petite». Il était attentif, il me câlinait et m'offrait tout ce que je pouvais désirer. Cette relation père-enfant comblait chez moi un vide affectif.

Je l'épousai, croyant vraiment l'aimer. En réalité, ce que j'appréciais le plus chez lui, c'est qu'il répondait à mes désirs d'affection et de compréhension. Et mon rêve de famille unie me fit dire: «Tout ce que je veux maintenant, c'est rendre mon mari et mes enfants heureux.»

Après le voyage de noces, je déchantai rapidement. Pendant nos fréquentations, je ne voyais mon fiancé que les fins de semaine, et il me consacrait alors tout son temps puisqu'il se libérait de ses occupations pour pouvoir passer de bons moments avec moi. Mais dès le début de notre relation de couple, je ne le trouvais plus assez présent. Je m'engageai alors dans diverses activités afin de ne pas trop souffrir de son absence. Mais plus je m'occupais, plus mon mari acceptait de nouvelles responsabilités. C'est ainsi que nous sommes devenus deux étrangers vivant sous le même toit. Mes espoirs de fonder une famille unie et heureuse s'effritaient. C'est alors que j'ai pensé qu'un enfant pourrait consolider notre foyer en nous y ramenant tous les deux.

Je fondai mes espoirs sur une grossesse qui ne venait pas. Déçue, je me tournai graduellement vers des activités différentes: études, magasinage, voyages, etc. C'est au cours d'un de ces périples que je rencontrai un Mexicain qui m'offrit suffisamment d'exotisme et de romantisme pour que je confonde romance et bonheur. Croyant avoir enfin trouvé ce que je cherchais si intensément, je m'accrochai de toutes mes forces à mon rêve. Je n'avais qu'une idée en tête: retourner au Mexique afin de rejoindre l'homme que j'aimais. Ma décision était prise: une fois revenue au pays, je liquiderais toutes mes affaires et je partirais. J'avais envie de vivre avec un homme de mon âge, de profiter de mes vingt-cinq ans, de rire et m'amuser. Dans ma vie de couple, j'avais le sentiment d'étouffer.

Ah! ces chères attentes! Attendre de son conjoint qu'il nous apporte le bonheur et, quand on ne l'obtient pas, se tourner vers un autre partenaire, espérant que celui-ci réussira là ou l'autre a échoué. Combien de personnes ont quitté leur conjoint pour en retrouver un pire, avec, en prime, une plus grande déception!

Au cours de mon voyage au Mexique, j'avais également fait la connaissance de Miguel, notre guide touristique, qui devint mon premier guide spirituel. Je faisais partie du dernier groupe qu'il accompagnait entre Mexico et Acapulco.

Tant de choses étranges se passèrent durant ce périple. Moi qui n'avais jamais appris la langue espagnole, voilà que, sans pouvoir expliquer pourquoi, je comprenais plutôt bien les Mexicains et je leur répondais même avec des mots qui venaient de je ne sais où. J'avais aussi une impression de déjà vu.

À San Jose Purua, alors que Miguel me donnait un massage, je me sentis littéralement flotter au-dessus de mon corps, que je voyais allongé plus bas. À un certain moment, Miguel me dit: «Toi, tu n'es pas comme les autres, tu tranches sur le groupe.» J'ai pensé: «Pas un autre!» Toute ma vie, je me suis fait dire que je n'étais pas comme les autres. Pour moi, cela équivalait à: «Tu n'es pas correcte.»

Un soir, à Taxco, je prolongeai seule mon repas au restaurant, les autres membres du groupe s'étant couchés tôt. Miguel vint me rejoindre et commença à me parler de karma et de réincarnation.

C'étaient des termes totalement nouveaux pour moi, mais je sentais que cela pouvait être une réponse à beaucoup de questions que je me posais, surtout celles relatives à l'injustice dans le monde. Ce n'était qu'une porte qui s'ouvrait, et je n'acceptais pas le tout d'emblée, mais je puisais là matière à réflexion. Miguel m'apprit qu'il terminait son contrat touristique et qu'il partirait bientôt pour Montréal, où il ouvrirait la première école du Mouvement gnostique international du Maître Samaël Aun Weor. Je lui laissai mon adresse afin qu'il me contacte dès son arrivée. Nous étions en janvier 1977; il arriva au mois de mars suivant.

Je me souviendrai toujours de notre première rencontre en sol québécois. Il m'avait donné près de deux heures d'un grand enseignement initiatique, passant des Atlantes aux extra-terrestres. Et, à la fin, tout ce que j'avais trouvé à lui dire, c'était: «Tu crois ça, Miguel?»

Comme je souhaitais retourner au Mexique, je voulus mettre à exécution mon projet de séparation vers le mois de mai, mais quelque temps avant d'amorcer les démarches nécessaires, je découvris que l'enfant que j'avais tant espéré s'annonçait au moment où je ne m'y attendais plus.

J'étais dans une confusion totale. Il y avait d'un côté ce désir de commencer une nouvelle vie dans un nouveau pays, avec un homme jeune dont j'étais très éprise et, de l'autre, mon rêve de fonder une famille unie. Bien que songeant à l'avortement, je n'arrivais pas à me décider à passer à l'action. Le médecin m'avait alloué trois jours pour prendre ma décision.

Je m'adressai à Miguel afin qu'il m'aide à y voir clair. Il savait très bien que je n'avais été qu'une aventure sans lendemain pour le Mexicain qui m'avait séduite et il essaya très gentiment de me le faire réaliser en me parlant de ce genre d'hommes, mais je m'obstinais à croire que cela était différent pour lui et moi.

Lorsque l'illusion nous tient, elle nous rend sourd et aveugle.

À un moment de notre discussion, je lui dis: «Toi, Miguel, tu as de la chance, tu fais partie de ce mouvement auquel tu crois. Mon mari a la politique qui le passionne, mais moi, je n'ai rien qui me motive vraiment.» Miguel me répondit: «Tu n'as rien? Mais non, tu as cet enfant que tu portes.» C'était la phrase que j'avais besoin d'entendre.

Il est remarquable qu'à certains moments de notre vie, des personnes prononcent ainsi les paroles que nous avons besoin d'entendre, tout comme il nous arrive de le faire pour d'autres.

Je reportai mon projet de séparation, espérant qu'un miracle se produise dans notre couple. Cependant, mon cœur était au Mexique.

Je m'inscrivis aux cours de Miguel, par curiosité et aussi par amitié pour lui. Tout ce qu'il enseignait était trop ésotérique pour m'être accessible. Je m'y intéressais, mais sans vraiment comprendre.

À la naissance de ma fille, Miguel vint me voir à l'hôpital et il me donna un petit pyjama rose pour le bébé en me disant: «On savait que ce serait une fille.» Il m'offrit également en cadeau un livre non relié ayant pour titre Psychologie révolutionnaire, *de Samaël Aun Weor. Je n'ai jamais revu Miguel depuis, mais il est toujours demeuré très présent dans mes pensées.*

Je n'avais pas pour autant oublié mon Mexicain. Je lui avais écrit à plusieurs reprises. Lui ne m'avait envoyé que deux missives très brèves. J'aspirais d'autant plus à le revoir que mes rêves d'une famille heureuse ne s'étaient pas réalisés.

J'attribuais cet échec aux nombreuses absences que l'engagement politique de mon mari m'obligeait à vivre. Et comme le bonheur auquel j'aspirais tant n'était toujours pas là, je quittai mon mari.

J'étais maintenant libre de retourner au Mexique pour retrouver l'«amour». Du moins, je le pensais. Je croyais que les moments intenses que j'avais partagés avec cet étranger, c'était ça, le bonheur. Mais le scénario que j'avais vécu avec Martine se répéta. Mon beau Mexicain avait lui aussi quelqu'un d'autre dans sa vie. Une fois encore, j'aurais souhaité pouvoir faire marche arrière avec le film de ma vie; revivre ces instants privilégiés que j'avais connus avec cet homme. Mais le passé restait obstinément derrière moi. Ma déception n'en fut que plus grande et ma douleur plus vive.

Je revins de ce voyage, déçue des hommes et blessée dans mon amour-propre, me demandant bien ce que j'avais pu faire au ciel pour m'attirer tant de souffrances. Je n'étais pas encore parvenue au plus profond de l'abîme, mais suffisamment pour avoir envie de comprendre quelque chose à ma vie et pour désirer en finir avec ces pénibles scénarios.

J'entrepris de lire le livre que Miguel m'avait offert. C'est d'ailleurs après cette lecture que je décidai de devenir quasi-végétarienne. Je réalisais combien j'étais ignorante des lois de l'Univers et je voulais en savoir davantage. J'ai lu par la suite la Cosmogonie des Rose-Croix, *et j'ai essayé de comprendre les enseignements d'Alice Bailey. À cette époque, ces livres étaient pour moi comparables à des ouvrages universitaires qu'on aurait mis entre les mains d'un enfant. Je découvris un peu plus tard l'œuvre du Maître Omraam Mikhaël Aivanhov, qui me semblait plus accessible. J'allais aux rencontres proposées par Natacha Kolessar Laska, à Montréal, de même qu'aux dîners-causeries du dimanche, à la Fraternité blanche universelle.*

Si, par le passé, j'avais cherché le bonheur de manière égoïste, mes nouvelles connaissances m'amenaient vers une quête plus altruiste. Pendant des années, j'avais caressé un rêve secret: celui de partir en mission. Je croyais qu'en offrant ma vie aux plus démunis, je trouverais enfin le bonheur. Je voulus même poser ma candidature pour tenter ce type d'aventure, mais des raisons de santé m'obligèrent à renoncer à mon projet.

C'est alors que je me suis dit: «Pourquoi ne pas réaliser ici même ta mission en aidant ceux qui sont dans le besoin?» C'est ainsi que j'ai adopté des philosophies du genre:

«J'aime mieux souffrir que de voir une autre personne souffrir.»
«Mon Dieu, donne-moi la souffrance de cette personne.»
«Si tes amis ont des problèmes, va les aider, mais si toi tu as des soucis ou de la peine, ne va pas ennuyer les autres avec tes tracas.»

Je faisais en secret des actions charitables. Je me souviens entre autres de Françoise, une patiente âgée résidant à l'hôpital où je travaillais. Atteinte d'un cancer, elle ne pouvait ni parler, ni se lever; ses souffrances intérieures l'avaient rendue extrêmement agressive. J'entrepris de l'apprivoiser. J'allais la voir à mes pauses café, à l'heure du dîner ou avant de rentrer chez moi. Je lui apportais des fleurs et des petits cadeaux. Graduellement, nous avons établi une communication non verbale.

Cela me rendait heureuse d'accomplir quelque chose de bien, d'apporter une présence à Françoise, que personne ne visitait.

Un jour, je dus m'absenter sans pouvoir la prévenir. Lorsque je retournai la voir, elle était de nouveau agressive. Furieuse, elle brandit deux doigts pour me reprocher de ne pas être allée la voir pendant deux jours. Je réalisai soudain la responsabilité que je m'étais mise sur les épaules. Je n'avais plus de pauses café, je consacrais à cette femme mes heures de dîner, et voilà qu'elle me reprochait les journées où je n'étais pas allée la voir.

Ce n'est que bien des années plus tard que je compris que l'aide véritable et l'amour désintéressé consistent à apprendre aux autres à s'aider eux-mêmes plutôt que de les laisser s'accrocher à nous.

Voyant que mes bonnes actions ne m'avaient pas non plus apporté le bonheur, je me remis à rêver d'une famille unie, pour moi-même et pour ma fille. Je rencontrai un gentil garçon qui me sembla l'homme idéal pour réaliser ce projet. Il était sérieux, responsable, et il venait d'un foyer dont les parents s'aimaient beaucoup. Les choses se précipitèrent: je devins de nouveau enceinte. Cela me sembla toutefois de bon augure puisque l'enfant à venir constituerait un maillon important dans notre famille reconstituée. Nous achetâmes une très jolie maison pour en faire notre foyer et y attendre notre enfant dans l'amour.

Avec le temps, je découvris une fois de plus que le bonheur n'était pas au rendez-vous. Pourtant, j'avais la jolie maison, deux beaux enfants, un bon mari, un excellent emploi, deux mois de vacances payées par année, de l'argent pour voyager, pour m'offrir ce que je souhaitais, mais j'étais encore malheureuse.

Mais où était donc le bonheur?

Le bonheur était-il impossible à trouver en ce bas monde? N'était-il qu'une illusion? Qu'un rêve très éphémère?

Je finis par conclure que le bonheur n'était pas pour moi puisque je ne l'avais pas connu dans mon enfance. Ayant grandi dans un foyer dysfonctionnel, je me croyais tarée, marquée. Ce qui m'empêchait d'être heureuse.

*De telles pensées me firent peu à peu basculer dans un gouffre de désespoir dont je ne croyais pas pouvoir émerger. Toutes ces connaissances que j'avais acquises au cours des années ne m'avaient nullement aidée à traverser cette période sombre de ma vie. Seul le fait d'avoir atteint le plus profond de ma souffrance allait me donner la force et le courage nécessaires pour m'en sortir. C'est ce que l'on peut appeler l'*émotion salvatrice[1].

Toi qui lis ces lignes, à quoi, par le passé, as-tu identifié le bonheur?

Au fait d'être beau ou belle?
d'être mince?
d'être grand(e) ou de taille moyenne?
d'avoir des amis?
de gagner beaucoup d'argent?
de pouvoir voyager?
d'avoir un conjoint que tu aimes et qui t'aime?
d'avoir des enfants?
de former une famille unie?
de posséder une belle maison?
de conduire une voiture de luxe?
de réussir dans une entreprise?
d'obtenir un diplôme?
d'avoir une reconnaissance sociale?
d'être indépendant?

Ces références au bonheur sur lesquelles nous nous sommes appuyés dans notre enfance motiveront nos efforts dans notre vie adulte. Le fait de ne pas l'atteindre peut nous faire vivre un sentiment d'échec et d'impuissance pouvant nous conduire à un état dépressif et parfois à la tentative de suicide.

1. *Voir Rendez-vous dans les Himalayas: ma quête spirituelle*, p. 18.

LE CAS DE LUCIEN

Pour Lucien, la richesse représentait le bonheur et la réussite. Il s'était promis qu'à l'âge de 50 ans, il serait millionnaire. Il consacra une partie de sa vie à cette ambition. Lorsqu'il atteignit sa cinquantième année, toutes ses tentatives n'avaient pas porté fruit. Il se sentait toujours aussi médiocre. Il sombra dans une profonde dépression nécessitant l'hospitalisation en milieu psychiatrique.

LE CAS DE JOHANNE

Johanne croyait, tout comme moi à l'époque, que le bonheur résidait au sein d'une famille unie. Bien que très malheureuse, ignorée et trompée par son mari, elle refusait l'aide qu'on lui proposait pour sortir de son enfer. Pourquoi? Parce qu'elle croyait qu'en quittant le foyer, tout ce qu'elle avait construit depuis vingt ans se solderait par un échec. À cause de cette référence, elle s'accrochait à une épave et elle était en train d'y laisser sa santé.

Quel est ton moteur actuellement dans ta vie?
Qu'est-ce qui te motive à donner le meilleur de toi-même?
Qu'est-ce qui stimule le plus ta créativité et ton ingéniosité?
Qu'est-ce qui te pousse le plus à avancer?

Est-ce :	*l'échec?*
	les difficultés?
	le stress?
	un ultimatum?
	une situation d'urgence?
	la privation?
Serait-ce plutôt:	*l'aspiration au bien-être?*
	la satisfaction personnelle?
	le désir d'être utile?
	le sentiment de contribuer à l'ensemble?

Quelqu'un me confia un jour: «C'est quand je n'ai plus rien et que je ne peux plus compter sur qui que ce soit que se déploient toute ma force et ma créativité.»

Les références que cette personne avait de son passé étaient justement des situations de crises familiales où elle ne pouvait plus compter que sur elle-même. Elle se devait alors d'utiliser toute sa créativité pour survivre dans un tel climat.

Beaucoup de personnes sont stimulées par les difficultés, mais dès que la situation commence à se rétablir, elles perdent leur motivation. Il suffit cependant que les difficultés réapparaissent pour qu'elles retrouvent leur énergie et leur ingéniosité.

D'autres se sentent fouettées par la privation. Quand tout va bien, elles laissent aller les choses, sans se soucier où va leur argent ou leur énergie, jusqu'à ce que la situation se détériore complètement. Dès qu'elles atteignent le seuil de privation, les voilà reparties pour remonter la pente.

Mon moteur à moi était l'ultimatum. C'est ainsi que j'ai passé une grande partie de ma vie à éteindre des feux. Lorsque je disposais largement de temps pour faire une tâche, je tournais en rond et je perdais mon temps. Mais si l'on me plaçait devant un ultimatum, je déployais le meilleur de moi-même. Ce genre de stress, qui nuisait à ma santé et à mon bien-être, me rendait très productive. J'avais l'habitude de dire: «À la dernière minute, j'excelle.»

Il va sans dire que j'étais toujours à la dernière minute. Pour contrer cette mauvaise habitude, j'ai suivi des cours sur la gestion du temps, mais sans succès. Je finis par croire que j'étais douée uniquement pour la procrastination.

Comment expliquer que les difficultés, l'échec, la privation ou le stress puissent nous stimuler autant? En fait, nous avons été tellement conditionnés à agir sous l'influence de ces facteurs (difficultés, stress, privation, ultimatum) que nous en sommes arrivés à penser que sans eux, nous ne pourrions déployer le meilleur de nous-mêmes. C'est ce qui explique que, pour se convaincre qu'on est courageux, on s'attire parfois des situations où on a le sentiment de se battre; ou bien, pour se persuader de sa bonté et de sa générosité, on s'entoure de personnes dépendantes à qui l'on donne continuellement; ou encore, pour s'assurer qu'on n'est pas paresseux, on court après les situations qui ne nous laissent que très peu de répit.

Ces conditionnements issus de notre passé s'appliquent également à l'idée que nous avons de la vie et du bonheur. Notre éducation sociale et religieuse a largement contribué à nous convaincre que le bonheur n'était pas de ce monde. Comme bien d'autres personnes éduquées dans la religion catholique, ma mère nous disait, lorsque nous lui causions des problèmes: «Vous me faites gagner mon ciel sur la terre!» Ce qui sous-entendait que, pour aller au ciel, il fallait souffrir.

Que n'ai-je entendu venant de ma mère, de mes grands-parents ou de certains participants à mes ateliers:

La vie est un combat.
Quand on rit le vendredi, on pleure le dimanche.
Ça ne peut pas toujours aller bien; on ne peut pas réussir en tout.
Dans la vie on ne fait pas ce que l'on veut.
Quand on est valet, on n'est pas roi.
On ne peut pas tout avoir.
Un malheur n'arrive jamais seul.
Pour être belle, il faut souffrir.
Tu es née pour manger de la misère mais rassure-toi, on t'a donné toute une pelle pour ça.
C'est trop beau pour être vrai.
Ça pourrait aller mieux mais ça coûterait plus cher.

Les gens d'Église renchérissaient avec des affirmations du genre:

Tu gagneras ton pain à la sueur de ton front.
Tu enfanteras dans la douleur.

Marqués comme nous l'étions par la tache du péché originel, notre vie devait se dérouler dans la souffrance. Pour se racheter, l'être humain devait se reconnaître pécheur. Afin qu'il ne puisse l'oublier, on lui faisait répéter, avant de recevoir l'Eucharistie: «Seigneur, je ne suis pas digne de te recevoir, mais dis seulement une parole et je serai guéri.» Toutefois, nous n'étions jamais totalement guéris puisque, à chaque dimanche on nous incitait à répéter la même phrase.

Dans certaines communautés religieuses, on renforçait cette attitude de rabaissement en faisant répéter: «Seigneur apprenez-moi à me mépriser moi-même.» Poussées à l'extrême, de telles doctrines religieuses allaient jusqu'à encourager l'autotorture.

Tant et si bien que reconnaître sa valeur, apprécier ce que l'on avait ou oser dire à voix haute: «Je suis heureuse, et tout va bien dans ma vie» était une marque de prétention. Cela faisait dire à notre entourage: «Mais pour qui se prend-elle pour nous étaler son bonheur au visage! Attends que les tuiles commencent à lui tomber sur la tête, et elle chantera une autre chanson.»

Par exemple, une femme qui affichait une vie heureuse et sans problème se sentait parfois coupable par rapport aux autres, qui nourrissaient sa culpabilité avec des remarques chargées d'ironie: «Oh! toi, tu es bien chanceuse d'avoir un bon mari qui, en plus, a de l'argent.»

Inconsciemment, la culpabilité peut ronger une personne au point de la rendre malade, de compromettre ses relations avec son conjoint ou avec ses enfants, et même lui attirer de mauvaises créances. Elle pourra alors se justifier en disant: «J'ai aussi mes problèmes, c'est pas toujours aussi rose que vous le croyez.»

Après tant de conditionnements négatifs, comment pourrions-nous croire que la vie peut être joie et bonheur?

Quand avons-nous entendu nos parents nous dire:

La vie, c'est la joie!
Tout ce que je fais, je le fais par plaisir.
C'est si facile d'être heureux!?

Nous avons toujours tendance à nous préparer au pire plutôt qu'au meilleur.

Par exemple, tu dois retourner un objet défectueux. Vas-tu gaiement au magasin, convaincu qu'on te rendra gentiment ton argent, ou prépares-tu déjà toute une argumentation?

Si nous ne trouvons pas le bonheur, c'est que nous n'y croyons pas, ou encore parce que nous avons peur d'afficher notre joie de vivre devant ceux qui en sont dépourvus.

Pour ma part, tous les livres que j'avais lus sur le pouvoir du subconscient et toutes les programmations que j'avais essayées ne m'avaient pas rendue plus heureuse, parce qu'au plus profond de moi, je n'y croyais pas. J'avais accepté l'idée que la vie nécessite des efforts, qu'elle est un chemin parsemé d'embûches et que la souffrance est inévitable. J'abdiquais, tout comme l'éléphant de l'histoire que voici:

Un jour, un garçon s'étonna de constater qu'un éléphant pouvait demeurer attaché par une petite corde. Il pensa: «Un si gros mammifère! Il n'aurait qu'à donner un coup pour rompre sa corde et se libérer. Qu'est-ce qui explique qu'il ne cherche nullement à s'évader?» Il en discuta avec l'éleveur qui lui raconta comment on dresse les jeunes éléphants. Lorsqu'ils sont petits, on les attache avec une très grosse chaîne. Tous, sans exception, essaient de se détacher, mais vient toujours le moment où ils abdiquent. Le tour est joué, on a réussi à leur faire croire qu'ils ne pouvaient se libérer. Dès lors, une simple corde pouvait remplacer la chaîne.

Comme ces éléphants dressés, j'avais renoncé à rompre les liens qui m'empêchaient d'avancer; j'avais aussi démissionné devant la possibilité de vivre une vie de couple harmonieuse.

Et toi! As-tu renoncé à vivre une vie riche, heureuse et épanouissante sur tous les plans?
Veux-tu te donner une autre chance de croire que la vie peut être joie et bonheur?

Nous pouvons changer les références qui nous ont été imposées dans le passé. Il nous est également possible d'en adopter de nouvelles que nous développerons un peu plus chaque jour, jusqu'à ce que nous y croyions totalement.

OSONS ÊTRE HEUREUX

Lorsque, enfant, j'enviais l'harmonie qui régnait au sein de la famille de Josiane, je pensais: «Comme c'est beau à voir!» mais en même temps, je me disais que, hélas, ce n'était pas pour moi.

Cette pensée négative, profondément enfouie dans ma mémoire émotionnelle, ressurgissait sous forme de doute et de peur chaque fois que j'amorçais une nouvelle relation. Je ne pouvais plus être moi-même. Je croyais qu'il me fallait être parfaite pour conserver l'intérêt de la personne dont je souhaitais être aimée. Je voulais tellement réussir que j'en faisais trop, ce qui provoquait le résultat inverse. Une vie de couple réussie, c'était pour les autres, pas pour moi.

Ce que je ne réalisais pas encore, c'est que je n'y croyais pas pour moi-même. Je n'avais pas de références m'indiquant ce qu'il fallait que je fasse pour être heureuse dans une vie de couple. Je n'avais jamais vu ma mère vivre en harmonie avec un homme.

Le problème réside très souvent dans le fait que nous n'avons pas d'autres références que les crises, les privations et les querelles. Nous n'avons jamais appris à fonctionner dans la paix, la joie et l'harmonie.

J'ai fini par me rendre à l'évidence que je provoquais des crises dans mes relations de couple parce que j'ignorais comment vivre avec le silence et la paix. Seule la colère m'était familière. J'en étais arrivée à penser que j'étais invivable. Puis un jour je découvris, grâce à un exercice très simple, ce qui faisait obstacle à la réalisation de mes rêves les plus chers.

Il s'agit d'un exercice facile que je t'invite à exécuter avant de poursuivre ta lecture. Prends tout le temps nécessaire, car cela peut changer bien des choses dans ta vie.

*Détends-toi, prends une bonne respiration et centre-toi sur la paix. Ensuite, sur une feuille, écris toutes les phrases commençant par «**Je voudrais**», qui te viennent spontanément à l'esprit.*

Par exemple:

Je voudrais avoir plus de temps à moi.
Je voudrais être heureux.
Je voudrais réussir dans mon entreprise.
Etc.

LE CAS DE JACQUES

Jacques avait écrit: «Je voudrais m'amuser davantage.» Pourquoi cette phrase lui était-elle venue spontanément à l'esprit? Quels souvenirs, enfouis dans sa mémoire émotionnelle, pouvaient expliquer qu'il trouvait rarement le temps de se divertir?

C'était d'abord l'image d'une mère qui travaillait continuellement, sans s'accorder le moindre répit; celle également d'un père qui lui assenait des coups de pied au derrière pour le faire participer aux travaux de la ferme; c'était l'image des enfants du voisinage qui jouaient pendant que lui travaillait en pensant: «Moi , je n'ai pas le droit de m'amuser.»

Devenu adulte, il savait très bien comment être constamment occupé, mais la seule idée de devoir participer à des jeux le paralysait. Cela lui faisait si peur qu'il préférait demeurer observateur.

Tout ce que tu as écrit commençant par la formule ***«Je voudrais»*** *correspond à ces pensées inconscientes qui relèvent de ce que tu souhaites au plus profond de ton être mais que tu ne crois pas réalisables.*

Moi, par exemple, j'avais écrit: «Je voudrais réussir une vie de couple.» Cela signifiait que je le voulais mais, qu'en même temps, je n'y croyais pas. Ce fut une révélation! Je réalisai qu'à cause de cette attitude mentale inconsciente, j'en faisais tellement au début d'une relation que si mes aspirations n'étaient pas satisfaites, je finissais par abdiquer en me disant: «Si ça ne réussit pas avec lui, après tous les efforts que j'y ai mis, ça ne fonctionnera jamais avec qui que ce soit.» Et, bien sûr, cette pensée défaitiste se réalisait. Un nouvel échec venait à tout coup confirmer cette programmation mentale.

Prendre conscience de tels conditionnements est déjà le début de la transformation. Il ne nous reste plus qu'à passer à l'action pour nous créer une nouvelle référence.

Relis à présent toutes les phrases que tu as écrites en remplaçant ***«Je voudrais»*** *par* ***«Je veux»*** *et ajoute à la fin de chacune:* ***«mais je crois que c'est impossible ou que ce n'est pas pour moi.»***

Exemple:

«Je voudrais être heureux» *devient:*
«Je veux être heureux mais je crois que ce n'est pas possible ou que ce n'est pas pour moi.»

Retrouve les références du passé qui t'ont amené à douter que tu puisses être heureux et fais la même chose avec chacune de tes phrases.

«Je voudrais être aimé» *signifie:*
«Je veux être aimé mais je crois que ce n'est pas possible ou que ce n'est pas pour moi.»

Une phrase comme celle que l'enseignante m'avait lancée: «Personne ne t'aime et personne ne t'aimera jamais» suffit pour semer un doute dans l'esprit d'une jeune personne. Des années durant, elle pensera inconsciemment qu'elle n'est pas aimable.

Pour modifier la compréhension de paroles et d'événements qui t'ont affecté, je t'invite à utiliser la technique de transformation du film de sa vie *proposé dans mon deuxième volume;* Vivre en harmonie avec soi et les autres.

À présent que tu as pris conscience de tes doutes et de tes propres obstacles, tu peux les transformer. Pour ce faire, remplace cette fois ***«Je voudrais»*** *par* ***«Je décide que je veux et que je peux.»*** *Par exemple:* ***«Je décide que je veux et que je peux être heureux.»***

Lorsque Jacques prit conscience qu'il ne s'était jamais permis de s'amuser ou de se faire plaisir parce que, inconsciemment, il croyait qu'il n'y avait pas droit, son attitude changea: il décida de s'octroyer du temps pour se détendre et se divertir. À partir de ce jour, sa vie alla en s'améliorant. Il réussit même à se débarrasser de ces violents maux de tête qui le faisaient souffrir depuis l'enfance: en se libérant de la pression avec laquelle il avait vécu jusque-là, ses céphalées et ses migraines s'estompèrent graduellement.

Il en fut de même pour moi. En acceptant l'idée que je pouvais réussir une vie de couple, je suis parvenue à modifier totalement des façons d'agir qui prenaient racine dans la peur et le doute. Je cessai dès lors d'exiger de moi la perfection et d'en faire plus qu'il ne fallait. Par ricochet, l'attitude de mon conjoint changea également. Plus notre relation s'améliorait, plus j'y croyais, et plus j'y croyais, plus cela fonctionnait.

J'ai vite compris que je pouvais appliquer ce principe à tous les domaines de ma vie. C'est-à-dire identifier ces doutes inconscients afin de les rendre conscients pour ensuite les transformer. C'est ainsi que je suis arrivée à croire que la vie peut être joie et bonheur véritables. Ce qui n'exclut pas que nous puissions vivre des moments de souffrance. Toutefois, il y a toute une différence entre le fait de penser que *«la vie est souffrance»* et celui de dire *«La vie comporte des occasions de souffrir, mais nous pouvons les dépasser en intégrant les leçons qu'elle cherche à nous enseigner.»*

Si nous voulons dire oui au bonheur, disons donc non à la souffrance.

Tant que nous supportons une situation, elle perdure. Beaucoup de personnes préfèrent vivre avec une souffrance qu'elles connaissent plutôt que de prendre le risque d'en vivre une qui leur soit inconnue, même si cette dernière porte en elle l'espoir de libération.

Une personne malheureuse dans sa relation de couple m'exprimait en ces termes sa crainte qu'une nouvelle situation ne soit pire que celle qu'elle connaissait: «On sait ce qu'on laisse, on ne sait pas ce que l'on prend.»

C'est parfois seulement lorsque nous ne pouvons plus continuer à vivre avec notre souffrance que nous osons lui dire non et que nous prenons le risque d'être heureux.

Ce que l'on ne comprend pas par la sagesse, la souffrance se charge de nous l'apprendre; mais ce que nous comprenons par la sagesse, la souffrance n'a pas besoin de nous l'apprendre.

La vie nous propose l'une et l'autre éventualités. Nous avons le choix entre la sagesse et la souffrance.

SOYONS PRÊTS À MODIFIER L'IMAGE QUE NOUS AVONS DU BONHEUR

Par le passé, nous nous sommes tous plus ou moins fabriqué une image correspondant à ce que nous croyions être le bonheur. S'y accrocher peut se révéler source de souffrance.

LE CAS DE JEANNINE

Jeannine avait vécu son adolescence au milieu des querelles de ménage de ses parents, qui avaient fini par divorcer. Son image du bonheur était celle de ses grands-parents qui étaient toujours unis à un âge avancé. Pour Jeannine, un couple uni était synonyme de réussite, alors que la séparation était synonyme d'échec.

Lorsque son mari lui avoua qu'il aimait une autre femme, elle n'était pas prête à accepter l'idée de vivre une séparation. Elle s'accrocha à sa relation de toutes ses forces, jusqu'à y laisser sa santé.

En thérapie, je m'appliquai surtout à lui faire comprendre que l'équation «séparation = échec» n'était pas nécessairement vraie. Je l'amenai à accepter l'idée que la réussite d'une vie de couple peut se réaliser avec un premier conjoint mais également avec un deuxième et même, s'il le faut, avec un troisième.

Elle lâcha prise et finit par accepter l'idée que le bonheur serait un jour possible avec un autre homme.

Six mois après, Jeannine rencontrait quelqu'un qui lui convenait beaucoup mieux que son premier mari avec qui, tout compte fait, elle n'avait jamais eu tellement d'affinités.

LE CAS DE MARIO

Comme Jeannine, Mario associait le bonheur à la réussite de sa vie de couple. Et, bien qu'il savait que sa compagne ne lui convenait pas vraiment, il s'accrochait à cette relation. Il suggérait à son épouse d'aller en thérapie de couple, de consulter des psychologues, des sexologues, mais celle-ci refusait l'aide qu'il lui proposait pour sauver leur couple. Jusqu'au jour où le drame éclata: sa femme lui avoua fréquenter un autre homme. Mario vécut la rupture qui suivit comme un véritable échec. Il avait le sentiment d'être passé à côté du bonheur, pire, d'avoir raté sa vie. Pour en finir avec la souffrance, il croyait devoir en finir avec la vie.

Combien d'hommes et de femmes ressemblent à Jeannine et à Mario parce qu'ils ne se sont jamais donné le droit de se tromper? Et si le bonheur les attendait avec un autre partenaire?

L'idée qu'il nous faille absolument réussir une relation ou une affaire nous incite à nous accrocher, à souffrir et à vivre un profond sentiment d'échec lorsque la relation se rompt ou que l'entreprise s'écroule.

En acceptant de modifier son image du bonheur, on se donne le droit d'aller à l'encontre des croyances et des principes établis pour écouter la voix de son cœur.

LE CAS DE SUZANNE

Suzanne était mariée depuis plusieurs années et vivait une très belle relation de couple. Toutefois, son image du bonheur était reliée à la famille, c'est-à-dire au fait d'avoir des enfants. Comme son rêve ne se réalisait pas, elle en était silencieusement malheureuse. Jusqu'au jour où elle accepta de modifier cette image et d'apprécier les avantages qu'il y avait à vivre sans enfant.

Pour ma part, tant que je me suis accrochée à l'image du bonheur que personnifait la famille de Josiane, je n'ai ressenti qu'un profond sentiment de manque. Le jour où j'ai réalisé que je ne serais jamais la mère au foyer classique parce que j'aimais voyager et m'engager dans de grands projets, j'ai compris que le bonheur était là puisque j'en retirais tant de joies. Je me suis ainsi créée une nouvelle image du bonheur. Et c'est en étant heureuse de ce que je vivais que j'ai attiré le compagnon qui me convenait et que, graduellement, nous avons recréé une famille sur un modèle différent de celui que je recherchais, mais qui s'avérait en réelle harmonie avec nos aspirations.

Bien sûr, on peut également changer l'image qu'on se fait du bonheur sans pour autant changer de partenaire ou de situation. Chaque cas est unique.

Supposons une femme qui vit une belle relation de couple avec un homme dont le travail l'amène à voyager. Si l'image du bonheur que se fait cette femme se résume à la présence continue de son conjoint, elle risque d'en souffrir. Par contre, si elle est prête à changer sa perception, elle découvrira des avantages à cette solitude, en plus de connaître la joie des retrouvailles après une absence.

Il suffit souvent de lâcher ce à quoi on s'accrochait pour découvrir beaucoup mieux.

CHAQUE JOUR PEUT ÊTRE UN JOUR DE BONHEUR

Tout au long de ma quête, j'ai cherché le bonheur dans la satisfaction de mes désirs et la réalisation de mes rêves.

Il me restait à expérimenter une nouvelle manière d'envisager le bonheur: le bonheur ne consiste pas à posséder une chose ou une autre, ou à vivre une situation plutôt qu'une autre; le bonheur est un état d'être, présent en chacun de nous; il suffit de nous syntoniser à sa fréquence vibratoire pour le laisser émerger.

Avec cette nouvelle perception, j'ai découvert qu'il m'était facile d'être heureuse, tellement facile en fait que je ne l'avais pas vu. Mes expériences antécédentes m'avaient davantage initiée à la souffrance qu'au bonheur.

Voici quelques suggestions pour nous syntoniser à la fréquence du bonheur.

- ***Détachons-nous autant des joies que des souffrances que nous avons vécues.***

  - *Nous ne pourrons jamais revivre un moment passé;*
  - *Quant aux souffrances, retirons-en les leçons qu'elles avaient à nous apprendre, mais ne les laissons pas ternir le moment présent.*

- *Rappelons-nous que tous les moments passés ont contribué à faire de nous la personne que nous sommes actuellement ,et que l'instant présent façonne celle que nous serons demain.*

- ***Évitons autant que possible de nous comparer aux autres.***

  - *Nous trouverons toujours chez autrui des forces, des aptitudes et des faiblesses ou handicaps qui ne sont pas les nôtres, car nous n'avons pas tous les mêmes leçons à intégrer. Le tournesol qui voudrait à tout prix être une rose serait malheureux toute sa vie.*

- ***Développons notre sens de l'humour.***

  - *Apprenons à rire de nous-même et des situations qui se présentent;*
  - *Prenons les choses moins au sérieux.*

Mon mari avait l'habitude de me regarder en souriant. Croyant qu'il se moquait de moi ou d'un de mes comportements, je voulais savoir ce qui le faisait rire. Il me répondait: «Je ne ris pas» alors qu'un large sourire illuminait son visage. Plus j'insistais pour savoir, plus il riait. Cela me vexait. Alors, il cessa de sourire et de rire. L'atmosphère devint très lourde entre nous.

Ce banal incident me fit découvrir un petit côté susceptible de ma personnalité que je ne me serais peut-être pas avoué. Puis, j'ai compris qu'on n'a pas toujours besoin d'une raison précise pour sourire ou pour rire. Mon mari riait facilement, mais jamais il ne s'était moqué de moi ou de qui que ce soit. J'ai donc pris exemple sur lui et aujourd'hui, nous rions très souvent ensemble et en ressentons beaucoup de joie.

- ***Exerçons-nous dès maintenant à imaginer le meilleur qui pourrait nous arriver en dédramatisant les situations et les agissements des autres.***

- *T'est-il déjà arrivé, avant de te faire réparer une dent, d'imaginer qu'il faudra te résoudre à porter une prothèse dentaire? Ou encore, devant le retard inexpliqué de la personne que tu aimes, de penser qu'elle a eu un accident de voiture et de t'affoler au point d'alerter la police?*
- *Notre tendance à imaginer le pire nous conduit très souvent à dramatiser les situations.*

- ***Trouvons de la joie et donnons un sens à tout ce que nous accomplissons.***

La joie est une attitude; c'est la présence de l'amour pour soi-même comme pour les autres. Elle naît d'un sentiment de paix, de la capacité à donner et à recevoir, de l'appréciation de votre individualité et de celle des autres. C'est un état de gratitude et de compassion; un sentiment de connexion avec votre être supérieur.

Sanaya Roman

Lorsque j'étais au centre de retraite de Tushita, chacun devait accomplir bénévolement une tâche à laquelle on donnait le nom de *Karma Yoga* (l'équivalent d'une bonne action).

L'entretien des salles de toilette était sans contredit la tâche qui me répugnait le plus. Je décidai tout de même de m'y soumettre pour quelques semaines. Très vite, et à ma grande surprise, j'y trouvai de la joie. J'étais heureuse de contribuer à la propreté des lieux, de me sentir utile à mon entourage. C'est très souvent de ces petites expériences quotidiennes que l'on peut retirer les plus grandes leçons.

Cette expérience banale en soi m'avait démontré à quel point le bonheur correspondait à un état d'être. J'étais loin de mes enfants, de mes amis et de l'homme que j'aimais. J'occupais une petite chambre sans confort; personne ne me déroulait le tapis rouge, et pourtant, j'étais heureuse. Heureuse d'accomplir dans la joie les tâches les plus humbles auxquelles je donnais un sens.

Chaque fois que nous aidons les autres volontairement, nous en retirons de la joie.

L'un de mes amis, fabricant de meubles, souhaitait vivre une plus grande spiritualité en étant davantage au service des autres. Il songeait à s'orienter vers un autre domaine, jusqu'au jour où il réalisa qu'un changement extérieur pouvait contribuer à favoriser des changements intérieurs. Je lui avais en effet raconté qu'après avoir acquis le nouveau mobilier qu'il avait fabriqué pour notre chambre à coucher, mon mari et moi avions constaté des changements favorables dans notre couple.

Tout changement extérieur entraîne nécessairement un changement intérieur, et vice versa.

Toute tâche, si humble soit-elle, peut avoir des conséquences bénéfiques pour les autres.

- ***Apprécions ce que nous avons ainsi que les personnes qui nous entourent.***

  - *Tu as un petit appartement et tu rêves d'une maison. Commence par remercier d'avoir un toit pour te loger et apprécie-le.*
  - *Ta voiture est vieille et tu aimerais bien en avoir une nouvelle. Apprécie plutôt de pouvoir disposer de ce véhicule pour te déplacer.*
  - *Tu occupes une fonction que tu n'aimes plus. Sois reconnaissant d'avoir un emploi alors que tant d'autres en sont privés.*
  - *Tu es seul(e) et tu souhaiterais bien rencontrer un ou une partenaire avec qui développer une belle relation. Commence par souhaiter encore plus de bonheur aux couples heureux que tu connais.*

Comme toute pensée a pouvoir de création, la reconnaissance et la gratitude auront pour effet de toujours attirer de meilleures situations dans notre vie, tandis que la jalousie, l'envie ou les plaintes ne feront qu'empirer les choses.

Tout ce que nous possédons (maison, voiture, vêtements, etc.), toutes les personnes qui nous entourent (conjoint, enfants, amis, associés, patrons, employés, etc.), toutes les situations, heureuses ou malheureuses, que nous vivons, tout cela obéit à la grande loi de l'attraction universelle. Nous attirons les choses, les personnes et les situations en fonction de nos propres schèmes de pensée.

Plus nous sourirons à la vie, plus la vie nous sourira.

- *Prenons le temps:*

  - *Prenons le temps de nous arrêter pour observer la beauté de la nature;*
  - *Baignons-nous de soleil, de vent et même de pluie;*
  - *Prenons le temps d'arroser nos plantes, de caresser notre animal favori ou d'écouter ceux qui nous entourent;*
  - *Prenons le temps de rire, de nous amuser, de chanter, de courir;*
  - *Prenons le temps d'exprimer notre affection et notre amour à ceux que l'on aime.*

On a toujours le temps pour ce que l'on considère important.

- *Cherchons la paix.*

Pour trouver la paix, il faut aimer les autres avec leurs différences, sans désir de les changer ou de les convaincre que notre façon de voir ou de penser est supérieure à la leur. Trop souvent, le désir que les autres pensent et agissent comme nous provoque des conflits avec notre entourage. Chaque fois que je suis dans une situation qui risque d'être conflictuelle, je me demande: «Qu'est-ce qui est le plus important? Avoir raison ou être heureux?»

On exige des autres ce que l'on s'impose à soi-même. C'est pourquoi les perfectionnistes exigent des autres la perfection.

En devenant plus indulgent envers soi-même, en agissant du mieux que nous le pouvons, en nous permettant de nous tromper, nous accorderons aux autres le droit à l'erreur. Ainsi vivrons-nous davantage dans la paix.

- ***Prenons la vie comme elle est.***

La vie est pareille au temps: tantôt ensoleillé, tantôt nuageux, pluvieux ou orageux, puis de nouveau ensoleillé. Il arrive même qu'un arc-en-ciel se dessine à l'horizon.

Si nous réussissons à aimer le vent, la pluie et l'orage autant que le soleil, nous aurons fait un grand pas pour découvrir le secret du bonheur, et nous serons prêts à franchir une première étape sur la voie de notre réalisation.

LA VOIE

Rendu au milieu de ma vie
j'ai cherché à savoir "À quoi ça sert la vie?"
j'ai cherché dans les sports et les voyages
j'ai cherché dans la politique et les performances
j'ai cherché dans les religions et les livres
j'ai cherché dans le travail acharné et le luxe
j'ai cherché de toutes les façons
j'ai même cherché des façons de chercher.

Un beau jour, j'ai trouvé sans chercher.
J'avais cherché trop loin, à l'extérieur, dans les autres.
J'avais cherché l'impossible pour m'apercevoir
qu'il n'y avait rien à trouver:
on le possède tous à l'intérieur de nous.

Maintenant que je sais que la vie est faite
de petits et de grands moments présents;
maintenant que je sais qu'il faut se détacher
pour aimer plus fort;
maintenant que je sais que le passé ne m'apporte rien;
maintenant que je sais que le futur me fait parfois
souffrir d'angoisse et d'insécurité;

maintenant que je sais qu'on n'a pas besoin de voyager
dans l'astral pour être heureux sur cette terre;
maintenant que je sais que la bonté et la simplicité
sont essentielles et que pour rendre les autres heureux,
je dois l'être d'abord;
maintenant que je sais qu'on peut aider les autres
surtout par l'exemple et le rayonnement;
maintenant que je sais que l'acceptation
est un gage de bonheur
et que la nature est mon meilleur "Maître";
maintenant que je sais,
la réponse vient du même endroit que la question.
Maintenant que je sais que je vis,
alors maintenant, je vis... tout simplement...

Marcel Gagnon

GRANDIR

Au retour de ma seconde odyssée en Inde, je voulais intégrer dans ma vie quotidienne les hauts enseignements que j'y avais reçus. S'il m'avait été facile de pratiquer le détachement et les nobles vertus dans ces hauts lieux spirituels, il en allait autrement dans le monde occidental où je devais désormais évoluer. Ce que je croyais avoir réglé refit surface plus rapidement que je ne l'aurais souhaité: mon organisme réagit, je fus incommodée par des étouffements. Pendant des mois, j'ai cherché à en découvrir la cause. Jusqu'au jour où la lumière se fit: dans mon désir d'être parfaite, pour respecter les vœux de Bodhisattva que j'avais prononcés, je m'étouffais moi-même.

Comme beaucoup d'adeptes en cheminement spirituel, j'avais voulu aller trop vite, oubliant qu'il ne fallait pas brûler les étapes. Il me fallut donc revenir au point de départ et me dégager graduellement de l'infantilisme qui me tenait encore à sa merci.

DE L'INFANTILISME À LA MATURITÉ

L'infantilisme peut se définir comme une absence de maturité affective caractérisée par des comportements égocentriques. Or, viser la libération - qui est le but ultime de toute voie spirituelle - en agissant de façon immature est aussi irréaliste et farfelu que le fait, pour un jeune enfant, de réclamer sa liberté alors qu'il dépend entièrement de ses parents pour ses besoins primaires. La première libération consiste donc à s'affranchir de toute dépendance affective ou matérielle.

Aujourd'hui, je comprends le sourire affiché par certains Maîtres réalisés lorsqu'ils observaient leurs disciples en adoration devant eux. Les séjours que j'ai faits dans plusieurs centres de croissance et *ashrams* m'ont permis d'être témoin d'une forme d'infantilisme allant parfois jusqu'au fanatisme.

Beaucoup de personnes transfèrent inconsciemment leur besoin d'amour et d'attention sur leur instructeur, leur guide, leur gourou ou leur maître, comme d'autres le font avec leur médecin, leur psychologue ou leur thérapeute.

Un jour, un homme que je recevais régulièrement en consultation m'avoua en pleurant: «Je sais maintenant pourquoi j'ai tant besoin de te rencontrer... C'est pour que tu me regardes.» Cet homme avait grandi dans un milieu qui ne lui accordait que très peu d'attention. L'enfant en lui recherchait le regard accueillant d'une mère.

Il arrive que des adeptes, des disciples ou des participants placent la personne qu'ils admirent sur un piédestal. Ils la voient comme un modèle de perfection, et leurs attentes vis-à-vis de cette personne peuvent être très élevées. S'il advenait que celle-ci ne réponde plus à leur idéal, ils pourraient la jeter en bas du piédestal qu'ils lui avaient érigé et la dénigrer tout autant qu'ils l'avaient admirée. Voilà un autre exemple d'infantilisme, comparable à celui de l'adolescent qui sous-estime ses parents après les avoir surestimés lorsqu'il était enfant.

Ce manque de maturité est notamment l'un des grands problèmes de nos sociétés modernes. Les enfants sont très souvent éduqués par des adultes immatures qui ont été «domptés» ou «dressés» à une époque où l'éducation utilisait un vocabulaire et des méthodes davantage destinés aux animaux. On semblait ignorer qu'«élever» signifie «faire grandir», non seulement le corps, mais aussi la psyché de l'enfant. Mais pouvait-on donner ce que l'on n'avait jamais reçu soi-même?

De nombreuses personnes entretiennent de la haine ou de la rancune envers l'un de leurs parents ou de leurs enseignants parce qu'elles n'ont pas compris que ces «adultes, qui les ont fait souffrir par leurs paroles ou leurs comportements n'étaient eux-mêmes que des enfants sur le plan psychique. Ce manque de maturité persistant à l'âge adulte génère, au sein des couples, bien des frustrations, des conflits et des chicanes. L'infantilisme est à l'origine de maintes séparations dont les enfants font les frais. Pas étonnant que la violence soit devenue omniprésente dans les écoles, dans les rues et au sein des familles.

Les chiffres parlent par eux-mêmes: chaque année, au Canada, 90 000 enfants sont touchés par un divorce. Une étude québécoise réalisée en 1991 révèle que le taux de décrochage scolaire était deux fois plus élevé chez les enfants de familles monoparentales que chez ceux qui vivaient avec leurs deux parents. En trente ans, le taux de suicide a plus que triplé chez les jeunes de quinze à dix-neuf ans.

Cet infantilisme généralisé nous donne des sociétés irresponsables et égoïstes, où chacun réclame la satisfaction de ses désirs, sans tenir compte de l'ensemble. De tels agissements entraînent, par voie de conséquence, la multiplication des grèves, l'endettement du pays, la pollution de l'air, de l'eau et des sols, la destruction des forêts, etc., détruisant ainsi la qualité de vie sur la terre. Ne devrions-nous pas plutôt nous entraider, afin de créer un monde plus heureux et plus harmonieux?

Comment expliquer que nos hôpitaux soient débordés alors que nos connaissances scientifiques énormes, notre technologie médicale des plus avancées et nos programmes de prévention élaborés devraient avoir stoppé l'évolution des maladies? Serait-ce qu'un grand nombre de ces maladies seraient symptomatiques d'un immense besoin de sollicitude et d'attention? J'ai reçu en thérapie beaucoup d'enfants qui se réfugiaient dans la maladie par crainte de perdre la protection et la sécurité parentales. D'autres, plus âgés, qui refusaient de vieillir par peur des responsabilités et qui n'arrivaient pas à quitter la maison familiale.

La peur de vieillir et de perdre son apparence juvénile rend très lucrative l'industrie cosmétique mais elle maintient aussi l'intérêt des foules dans des champs d'activités où la maturité est peu valorisée. Seule la maturation individuelle pourra parvenir à dissiper la souffrance et à ramener une qualité de vie supérieure.

Le Maître Saï Baba affirme qu'«il n'est pas nécessaire de réformer tout un peuple pour assurer la justice, le bonheur et la paix au reste de la communauté. Il suffit de transformer la conscience de 2 % de ses membres qui, en détenant des postes d'autorité dans les domaines de l'éducation, de l'administration, de l'industrie et du commerce, pourront influencer moralement et de façon naturelle les autres partenaires sociaux.»

Tu peux faire partie de ces 2 % si tu choisis de grandir pour aider d'autres personnes à grandir, lesquelles, à leur tour, pourront en aider d'autres. Sa Sainteté le Dalaï Lama va dans le même sens lorsqu'il déclare: «Bien qu'il soit difficile d'établir la paix dans le monde à travers la transformation individuelle, c'est la seule chose qu'il nous reste à faire.»

RECONNAISSONS NOTRE INFANTILISME

Comme pour toute démarche de transformation, la première étape à franchir pour atteindre notre maturité sera de reconnaître nos comportements infantiles. Nous sommes tous plus ou moins immatures, car l'adulte parfait est un sage.

De par sa situation de dépendance, le nourrisson est naturellement centré sur ses besoins; le monde qui l'entoure lui semble être là pour le servir. De nature égoïste, le jeune enfant ne cesse de réclamer. Si on lui refuse ce qu'il désire, il exprime son mécontentement par des crises, de la colère, des pleurs, de la bouderie, ou encore il cherche à se venger.

Si de tels comportements sont compréhensibles chez un enfant qui fait son apprentissage social, ils deviennent totalement inacceptables chez un sujet d'âge adulte et deviennent source de souffrance et de conflits avec l'entourage. Voyons-en quelques exemples.

Un matin, Paul révèle à Diane, son épouse, son intention de quitter son emploi. Prise de panique en pensant à l'avenir, Diane lui sert tous les arguments possibles pour dissuader son mari de mettre son projet à exécution. Paul est profondément déçu; il s'attendait que son épouse le supporte dans sa décision. Sa déception se change graduellement en colère mais il n'en laisse rien paraître. Il choisit plutôt de se réfugier dans le silence.

N'ayant pas le goût de retourner à la maison après son travail, il s'arrête dans un bar, puis il termine la soirée au cinéma. Lorsqu'il rentre, passé minuit, Diane, qui s'était inquiétée de son retard, lui demande ce qui s'est passé; ce à quoi Paul répond: «Rien.» Trouvant son attitude incompréhensible, Diane insiste. Exaspéré, Paul laisse éclater une colère trop longtemps refoulée et déverse un flot de paroles blessantes, allant même jusqu'à parler de séparation. Ne comprenant rien à son attitude, Diane se met à pleurer.

Il s'agit là d'un très beau cas d'infantilisme car, à aucun moment, Paul n'a exprimé à Diane son besoin d'encouragement ni sa déception de ne pas avoir été soutenu par elle. Il a plutôt opté pour la fermeture, la vengeance et la colère. Cela a réveillé chez Diane la petite fille qui a peur de perdre celui qu'elle aime.

L'infantilisme se manifeste aussi très souvent dans la sexualité. Cela s'explique facilement par le fait que l'adulte immature a tendance à combler ses besoins affectifs à travers l'échange sexuel. Si, pour une raison ou pour une autre, son partenaire repousse ses avances ou démontre peu d'intérêt, il en est vexé. Aussi cherchera-t-il à punir l'autre, soit en se fermant sexuellement pendant des semaines, soit en essayant de le rendre jaloux.

Tel un enfant, l'adulte égocentrique exige qu'on réponde à ses attentes sur-le-champ, sinon il va:

- ***Se fermer ou bouder***

Il y a bien des manières de se fermer à l'autre: garder le silence, se cacher derrière un livre ou un journal, se laisser absorber par la télévision, travailler plus longtemps qu'à l'accoutumée pour éviter de rencontrer l'autre, etc.

- ***Se venger par des paroles blessantes ou par des attitudes susceptibles de chagriner l'autre***

Certaines personnes vont même jusqu'à dénigrer leur conjoint pour exprimer leurs frustrations, en disant devant les autres des paroles du genre: «Il (elle) a une roche à la place du cœur.»

- ***Accuser l'autre afin que celui-ci se sente coupable et responsable du conflit:***

«Tu n'es jamais là... Tu ne t'occupes jamais de moi... Je passe toujours après tes amis ou ta famille... C'est moi qui dois toujours tout faire...» etc. Certaines personnes peuvent même s'infliger des souffrances ou se détruire pour culpabiliser la personne qui ne répond pas à leurs demandes. J'ai connu un homme qui est devenu alcoolique pour culpabiliser sa mère de ne pas l'avoir aimé comme il l'aurait souhaité. Chaque fois qu'il rentrait ivre, il perturbait sa mère. C'était sa façon de lui dire: «Si tu t'étais davantage occupée de moi, je ne serais pas devenu alcoolique.» Ce comportement d'autodestruction, il l'a par la suite répété avec sa femme, avec son frère et avec son meilleur ami, qui ne pouvaient composer avec ses comportements infantiles. Bien des tentatives de suicide ont comme origine un désir de culpabiliser celui qui nous a quitté ou qui s'apprête à le faire.

- ***Contourner le refus pour avoir gain de cause***

Laurent (un de mes précédents compagnons) m'avoua un jour qu'il était incapable de me dire non. Ce n'est que beaucoup plus tard que j'ai compris avec Richard, mon époux actuel, que la peur de me déplaire empêchait ces hommes de m'opposer un refus ferme. Par exemple, si je demandais à Richard de m'accompagner en ski, il s'esquivait en prétextant le manque de temps. Je m'empressais alors de réorganiser son horaire, de façon qu'il n'ait d'autre choix que de me dire oui.

Ma fille de quinze ans agissait de la sorte. Un jour, elle me demanda de la transporter en soirée afin qu'elle puisse participer à une activité parascolaire. À cause de mes nombreuses obligations, je dus refuser; elle me dit, dans le dessein d'avoir gain de cause: «Très bien, je vais m'arranger par moi-même. Je ferai un bout en autostop et je marcherai le reste du parcours.» Inquiète devant une telle perspective, je n'avais d'autre choix que de m'organiser pour répondre à ses attentes, même si cela me causait des problèmes.

- ***Faire des crises pour arriver à ses fins***

Il y a quelques années, ma mère me rappelait quelques comportements oubliés de mon enfance. Elle me dit que lorsque je l'accompagnais dans les magasins et qu'elle me refusait quelque chose que je désirais, je la menaçais: «Si tu ne me l'achètes pas, je vais crier si fort que tu vas avoir honte...» Ne voulant pas se retrouver dans une situation semblable, ma mère cédait à mon chantage. Elle achetait la paix sans réaliser qu'en répondant à mes caprices d'enfant, elle ne m'aidait pas à grandir.

Mes enfants me faisaient le même numéro et, comme ma mère, je leur accordais ce qu'ils voulaient pour avoir la paix. À tel point qu'ils avaient compris que c'était la meilleure façon d'obtenir quelque chose. Pendant des années, j'ai ainsi subi les crises que ma fille me faisait pour arriver rapidement à ses fins. Pour la calmer, je lui donnais toujours ce qu'elle voulait et je me faisais avoir à tout coup. Ce manège se répéta jusqu'à ce que j'en prenne conscience. Maintenant, cette attitude n'a plus aucune prise sur moi.

Bien des adultes infantiles sont passés maîtres dans l'art de manipuler les gens par des crises de nerfs, des larmes ou de la colère. Une femme ayant un mari au cœur tendre qui ne peut supporter les pleurs aura tendance à se servir de ses larmes pour obtenir ce qu'elle désire. D'autres utiliseront la colère ou la maladie face à un homme facilement inquiet qui marche dans ce stratagème.

- ***Jouer la victime en s'apitoyant sur son sort ou en se plaignant aux autres***

«Je n'ai jamais eu de chance dans la vie... Ma mère ne m'a jamais aimé ni témoigné la moindre affection... Mon père ne s'est jamais occupé de moi... On m'a envoyé au pensionnat... J'ai toujours été leur souffre-douleur... Mon père m'a mis à la porte à l'âge de dix-sept ans... Si je n'ai pas confiance en moi, c'est parce que mon père n'a jamais cru en moi..., etc.»

Il y a toujours quelque chose qui ne va pas chez la personne atteinte de «victimite». Proposez-lui une solution, elle trouvera mille raisons de la refuser, car elle ne veut pas être aidée. Elle cherche plutôt l'attention et la compréhension que lui assure sa position de victime.

- ***Rejeter sa responsabilité sur les autres***

Ce sont les autres qui lui font de la peine, qui ne le comprennent pas, qui le mettent en colère, qui le condamnent ou qui ne lui donnent pas de chances. Quel que soit son âge, l'adulte immature croit que les autres ont le pouvoir de le rendre heureux ou malheureux. Il peut s'agir d'une personne du troisième âge qui se plaint continuellement de son arthrite, de ses maux de jambes, de ses migraines, etc., et qui rend ses enfants responsables de sa solitude: «Vous ne venez jamais me voir. Je suis malade et vous me laissez seule comme un chien. Après tout ce que j'ai fait pour vous... Vous regretterez après ma mort de n'être jamais venus me voir...»

Poussée à l'extrême, la «victimite» peut se transformer en paranoïa. La personne qui en souffre croit que les autres lui en veulent et cherchent à lui faire du mal. Elle perçoit son environnement comme hostile et menaçant, ce qui la met constamment sur la défensive. Elle se méfie de tout et de tous, mais elle s'accroche de toutes ses forces à celui ou celle qui représente sa sécurité ou sa bouée de secours; car, à ce stade, seul un sauveteur pourra la supporter.

L'ADULTE IMMATURE VIT DANS LA PEUR D'ÊTRE ABANDONNÉ OU REJETÉ

Craignant que quelqu'un d'autre puisse prendre la place qu'il occupe dans le cœur de la personne aimée, l'adulte immature peut, à certains moments, exploser de jalousie envers la mère de son conjoint, l'enfant de son partenaire ou un collègue de travail. Désirant s'approprier toute l'attention de l'être cher, il lui reprochera même de passer du temps devant le téléviseur ou au téléphone avec l'un de ses amis. Cette attitude possessive limite toujours l'espace de l'autre. Se sentant étouffé, celui-ci s'éloigne.

La personne immature affectivement réclame souvent des preuves d'amour. Elle fait passer des tests à l'autre pour en tirer ses conclusions: «S'il fait cela, c'est qu'il m'aime, s'il refuse, c'est qu'il ne m'aime pas.» Aussi interprétera-t-elle les paroles et les actions des autres en fonction de ses propres peurs. En voici un exemple.

Après quelques mois de mariage, Louis doit s'absenter pour participer à un congrès. Sa femme Françoise attend avec impatience son coup de fil. Elle s'ennuie. Trois jours plus tard, son mari l'appelle pour lui demander d'aller chercher un dossier sur son bureau de travail. Françoise aurait voulu d'abord entendre: «Je m'ennuie de toi, j'ai hâte de te revoir.» Dépitée, elle dit à son mari: «Tu m'appelles seulement pour ça?» Décontenancé, Louis répond: «Oui.» Déçue et furieuse, Françoise lui lance: «Si tes foutus dossiers sont si importants pour toi, tu penseras à les prendre la prochaine fois.» Et vlan! elle lui raccroche au nez. N'y comprenant rien, Louis se demande: «Mais quelle mouche l'a piquée?» Françoise était si amoureuse au moment de son départ, et voilà qu'elle se montrait si agressive...

Ce que Louis n'a pas compris, c'est que la petite fille en Françoise lui avait fait passer un test pour vérifier s'il l'aimait. Elle aurait souhaité qu'il se reprenne après sa réponse laconique et qu'il lui dise: «Non, je voulais aussi te parler.» Parce que Louis avait seulement répondu oui, Françoise en avait conclu que seul son dossier l'intéressait et que, par conséquent, il ne l'aimait pas.

Il arrive que l'adulte infantile aille jusqu'à la limite de la patience ou de la tolérance de l'autre afin de vérifier son degré d'amour. Il peut alors tenter de le pousser à bout par des agissements insupportables en se disant: «Si, après tout ce que je lui fais endurer, il m'aime encore, c'est qu'il m'aime vraiment.»

Si l'être aimé devient incapable de supporter ces comportements et qu'il manifeste l'intention de rompre ou de partir, l'adulte infantile va alors s'y accrocher de toutes ses forces en lui promettant de changer et de ne plus recommencer. Tout câlin et tout souriant, il montrera sa bonne volonté en offrant des fleurs ou des cadeaux... Mais cela ne durera que le temps de récupérer la personne qu'il craignait de perdre.

Lorsque la personne qui subit cette manipulation aura épuisé sa patience et que les promesses ne suffiront plus à la retenir, alors là, l'adulte infantile utilisera les menaces: retrait du soutien financier, interdiction de voir les enfants, etc. Et parfois, l'ultime menace, le suicide: «Si tu pars, je m'enlève la vie», ce qui sous-entend: «Tu auras ma mort sur la conscience.»

Comme l'enfant, l'adulte immature cherche à plaire. Pour capter l'attention des autres, il utilise la séduction.

Pendant des années, j'ai cru que la séduction ne visait que la conquête charnelle ou sexuelle. En réalité, le champ d'activité de cette tactique est beaucoup plus vaste, car elle prend ses racines dans la peur de ne pas être aimé et apprécié. Aussi est-elle présente dans la simple flatterie. On voudra, par exemple, plaire à la mère de celui ou de celle qu'on aime en lui disant qu'elle paraît très jeune pour son âge...

Une enseignante qui œuvrait auprès des adultes m'a raconté qu'elle avait réalisé que, face à un étudiant récalcitrant, elle tentait de le charmer en lui donnant plus d'attention qu'aux autres parce qu'elle craignait qu'il puisse la critiquer.

Les tentatives que l'on fait pour éblouir les autres sont multiples: exhiber ses acquisitions, ses diplômes ou ses trophées, montrer ses talents culinaires, parler de ses exploits, etc. Il s'agit d'autant de moyens subtils de séduire. C'est une façon de dire aux autres: «Voyez combien vous êtes gagnants de me connaître ou de m'avoir comme ami.»

Dans ma période très infantile, que j'appelle aussi ma période de grande séduction, j'essayais de conquérir les hommes de ma vie, car je n'étais pas convaincue que l'on pouvait tout simplement m'aimer pour moi-même. Des vêtements jusqu'à la coiffure, en passant par tout ce que je faisais ou avais fait, je tentais de les éblouir, et cela fonctionnait. Mais au début seulement. Dès que ces hommes découvraient la femme infantile que j'étais, ils s'éloignaient. Et dire que je croyais les hommes attirés par les femmes-enfants!

Cette idée, je l'avais prise dans ces films à l'eau de rose où le héros est follement amoureux de sa femme-enfant.

La séduction peut s'exercer dans tous les types d'échanges relationnels. On la retrouve chez la mère qui cherche à plaire à son fils ou à son gendre en lui préparant son repas préféré ou en suscitant des occasions pour pouvoir se retrouver seule avec lui. On la reconnaît aussi chez le papa ou la maman-gâteau qui ne voit son enfant qu'occasionnellement et qui le couvre de cadeaux, tout comme le fera la personne qui veut s'attacher ses amis. On la rencontre également en milieu de travail lorsque le patron s'amuse à séduire ses employées, pour le simple plaisir de sentir qu'il plaît.

J'ai reçu en thérapie le directeur d'une très grosse compagnie qui me confiait son problème avec les femmes qui devenaient amoureuses de lui. Bel homme, toujours bien vêtu, il passait sa vie à séduire ses employées. Ayant une piètre opinion de lui-même, le manège qu'il jouait lui donnait l'illusion de plaire à plusieurs femmes. Ne s'aimant pas lui-même, il doutait en son for intérieur qu'on puisse l'aimer. Il en était par conséquent très malheureux, mais il n'avait pas compris que la séduction l'éloignait justement de l'estime de soi.

La séduction est à l'opposé de l'authenticité. C'est ce qui explique qu'elle donne rarement naissance à des amitiés ou à des relations profondes car elle a comme bases la peur et la manipulation, et non le partage, la vérité et la confiance.

L'adulte ou l'enfant qui cherche à plaire quête l'appréciation et l'approbation des autres pour être heureux. Si on le désapprouve ou qu'on lui fait une remarque défavorable, il est vexé et malheureux. Aussi est-il incapable de recevoir une critique, car elle signifie pour lui: «Je ne suis pas bon ou pas correct, et on ne m'aime pas.»

Pour se protéger, il se réfugie dans une attitude défensive: ce n'est pas de sa faute. Il trouvera toujours une excuse pour se justifier et pour démontrer à l'autre que sa remarque ou sa critique n'est pas appropriée.

À d'autres moments, il se cramponnera à une attitude de résistance. À sa mère qui lui dit de manger moins pour ne pas prendre trop de poids, la fille réagira en s'empiffrant davantage. C'est sa façon de lui dire: «Je ne deviendrai pas mince pour te faire plaisir, tu vas m'aimer comme je suis, même grosse.»

La recherche du pouvoir sur son entourage est une autre manifestation d'infantilisme. Beaucoup d'enfants ne travaillent pas à l'école pour s'opposer à leurs parents. Leur résistance leur donne un certain pouvoir, et c'est ce qu'ils recherchent. Plus tard, cet adulte infantile reproduira le même comportement avec son ou sa partenaire en instaurant à nouveau le processus du pouvoir par la résistance. Si, par exemple, une épouse dit à son conjoint qu'elle aimerait le voir verbaliser davantage ses sentiments, celui-ci peut se réfugier dans l'attitude contraire. Et ce comportement peut également se manifester par une habitude quelconque: cigarette, alcool ou autre dépendance. On fume et on boit pour avoir raison de l'autre. C'est une façon de lui dire: «Tu ne décideras pas de ce qui est bon pour moi.»

Les couples qui se disputent fréquemment font preuve d'infantilisme. Leurs chicanes débutent souvent parce que, croyant avoir raison, aucun des deux partenaires ne veut céder. Lorsqu'on veut gagner à tout prix vis-à-vis de son partenaire, on y perd toujours du côté de la paix et de l'harmonie.

Peut-être t'es-tu reconnu(e) à travers ces comportements. Si tu veux évaluer ton niveau d'infantilisme, je te propose le test suivant.

	Souvent	Parfois	Rarement ou jamais
J'ai de la difficulté à écouter attentivement les autres.	___	___	___
J'ai tendance à ne parler que de ce qui m'intéresse ou me préoccupe.	___	___	___
J'ai de la difficulté à essuyer un refus lorsque je demande quelque chose.	___	___	___
J'ai de la difficulté à accepter une remarque ou une critique.	___	___	___
J'ai tendance à me justifier lorsqu'on me fait une remarque.	___	___	___

	Souvent	Parfois	Rarement ou jamais
Je cherche souvent à avoir raison.	___	___	___
Je suis souvent en conflit avec mon entourage.	___	___	___
Je provoque l'autre lorsque je suis en colère.	___	___	___
Il m'arrive de me fermer à l'autre lorsque je suis frustré(e) ou déçu(e).	___	___	___
Il m'arrive de chercher à me venger lorsque je souffre.	___	___	___
Il m'arrive d'accaparer la personne que j'aime.	___	___	___
Il m'arrive d'avoir peur de perdre la personne que j'aime.	___	___	___
Il m'arrive d'interpréter les paroles ou agissements des autres en ma défaveur.	___	___	___
Il m'arrive de ne pas dire ce que je pense vraiment par peur de déplaire.	___	___	___
Je cherche à éblouir ou à conquérir la personne de qui je souhaite être aimé(e).	___	___	___
Il m'arrive de dire des choses blessantes ou que je ne pense pas lorsque je suis en colère.	___	___	___
Il m'arrive de décider pour ma propre satisfaction sans tenir compte des autres.	___	___	___
Lorsque quelque chose ne fait pas mon affaire, je fais des histoires.	___	___	___
J'ai de la difficulté à exprimer mon appréciation.	___	___	___

	Souvent	Parfois	Rarement ou jamais
Je me sens dévalorisé(e) lorsqu'on complimente quelqu'un d'autre.	___	___	___
Il m'arrive d'accuser ou de culpabiliser les autres lorsque je vis une déception ou que les choses ne sont pas à ma satisfaction.	___	___	___
Lorsque je désire quelque chose, je voudrais que cela se fasse immédiatement..	___	___	___
Je veux que mon mari et mes enfants s'habillent selon mes goûts.	___	___	___
J'ai besoin de l'approbation des autres.	___	___	___
Je suis facilement influençable.	___	___	___
J'éprouve beaucoup de peurs.	___	___	___
Je veux prouver que je suis capable.	___	___	___
J'ai peur d'être abandonné(e) et de me retrouver seul(e).	___	___	___
Je préfère vivre avec une personne qui ne me convient pas plutôt que de vivre seul(e).	___	___	___
J'en fais trop pour les personnes que j'aime.	___	___	___

Compte le nombre de fois où tu as coché l'indication «souvent». Les «souvent» représentent les comportements infantiles que tu aurais intérêt à dépasser pour être plus heureux(se). Par exemple, quinze réponses ainsi cochées sur trente dénotent 50 % d'immaturité affective. Les «parfois» signalent une tendance à l'infantilisme. Je te suggère de noter et de conserver tes réponses. Dans quelques temps, tu pourras refaire ce test afin de mesurer tes progrès.

FAISONS GRANDIR L'ENFANT EN NOUS

En reconnaissant et en admettant honnêtement son infantilisme, on a déjà fait un grand pas sur la voie de la maturité, car le premier niveau à atteindre est celui de la maturité affective, le second étant la maturité professionnelle. Bien des adeptes en cheminement spirituel souhaiteraient accéder au troisième niveau (soit la maturité spirituelle, qui fera l'objet des prochains chapitres) sans être d'abord passés par le premier et le second. On pourrait comparer cette attitude à celle qui consisterait à mettre son énergie à construire le toit d'une maison sans se préoccuper des fondations ni des murs. Un toit est bien inutile sans sa base. Il nous faut donc au préalable consolider nos fondations en permettant à notre partie infantile de grandir.

Les maîtres enseignent que la croissance spirituelle de l'être humain devrait traverser différentes phases au cours desquelles l'intérêt de l'enfant passera du «moi seulement» au «moi et les autres», pour ensuite s'ouvrir vers «les autres et moi», jusqu'à se fondre dans «les autres seulement».

Comme les exemples et le test précédents nous l'ont démontré, notre enfant intérieur n'a pas complètement franchi les premières étapes de son développement. Heureusement qu'il n'est jamais trop tard pour s'engager dans un processus de maturation, et ce, quel que soit notre âge.

LA MATURITÉ AFFECTIVE

PENSONS AUX AUTRES

Pour dépasser notre tendance à l'égocentrisme, nous devrons apprendre à notre enfant intérieur à penser plus souvent aux autres. Ce qui ne veut pas dire qu'il faut s'oublier pour les autres.

Notre infantilisme nous porte très souvent à agir comme un pendule. On va d'un extrême à l'autre: de l'égoïsme à l'altruisme, du rôle de victime à celui de sauveteur, du rôle de l'enfant à celui de parent, et vice versa. L'altruisme ainsi manifesté est très souvent une forme d'égoïsme déguisé: je fais ceci pour que l'autre m'aime ou pour qu'on pense que je suis une bonne personne; je fais cela pour me déculpabiliser ou pour me donner bonne conscience.

Le souci de l'autre implique qu'il faut être plus attentif à ce qu'il nous confie, qu'il faut essayer de comprendre ce qu'il ressent afin d'être en mesure de savoir ce dont il a besoin. Quand, par exemple, je veux discuter d'un problème avec mon conjoint, il est préférable de me demander d'abord si le moment est opportun. Peut-être mon conjoint est-il préoccupé par une autre question ou qu'il est absorbé par d'autres intérêts.

Si je ne tiens pas compte de ses besoins et que j'exige une discussion sur-le-champ, j'agis comme l'enfant qui ne sait pas attendre et qui veut toujours tout immédiatement. Je risque ainsi de déclencher une dispute.

Je me souviens de ce jour où j'avais demandé à ma mère de m'informer sur les menstruations. J'avais douze ans et je craignais leur arrivée imminente. Comme ma mère était souvent absente, j'avais profité d'un soir où elle était présente et où elle ne vaquait pas à ses multiples occupations pour aller la retrouver dans sa chambre. Déjà couchée, elle m'avait répondu: «Oh! laisse-moi tranquille! Je suis fatiguée...» J'avais alors réagi en enfant frustrée en me disant: «Tu ne veux pas me parler? Eh bien, je ne me confierai plus jamais à toi.» Ce n'est qu'après mes trente ans que je recommençai à partager avec elle ce que je vivais.

Si, ce soir-là, j'avais davantage pensé à ma mère qu'à moi, j'aurais sans doute remarqué qu'elle était épuisée. Peut-être avait-elle un chagrin qu'elle se sentait incapable de partager et qu'elle souhaitait oublier dans le sommeil? Au lieu de me fermer à elle, je lui aurais dit: «Oui, je vois que tu es fatiguée, est-ce que tu voudrais qu'on en parle une autre fois?» Je suis certaine qu'elle aurait accepté. Que d'émotions, avec toutes leurs répercussions, me serais-je épargnées! Mais à cet âge-là, je ne le savais pas.

Plus tard, j'ai reproduit les mêmes scénarios dans mes relations de couple, mais pour d'autres motifs. Si mon partenaire ne me donnait pas ce que je désirais au moment où je le voulais, je me fermais à lui. Je détruisais ainsi la qualité de notre relation et j'en rejetais la faute sur lui. Tant que j'ai agi de cette façon, je n'ai connu que la souffrance.

Voici quelques suggestions qui pourront t'aider à te débarrasser de cette habitude de ne penser qu'à toi. Leur mise en application te permettra d'améliorer très rapidement la qualité de tes relations.

- *Écoute les autres avec intérêt lorsqu'ils te parlent afin d'arriver à développer une écoute en profondeur.*
- *Intéresse-toi à ce que les autres te racontent, même s'il ne s'agit pas de choses passionnantes.*
- *Prends l'habitude de vérifier la disponibilité de l'autre avant de lui formuler tes demandes.*
- *Devant une situation frustrante, prends le temps de réfléchir à la leçon que tu peux en tirer.*
- *Évite de décider pour les autres ou de vouloir à leur place; prends plutôt leur avis.*
- *Sois prêt (e) à accepter que les autres ne répondent pas toujours à tes attentes.*
- *Essaie de comprendre la motivation de l'autre avant de porter un jugement.*
- *Laisse les autres faire leurs propres expériences, même si tu ne les approuves pas.*
- *Respecte les opinions des autres, même si tu ne les partages pas.*
- *Donne aux autres le droit d'être ce qu'ils sont; ainsi, tu pourras les aimer avec leurs différences.*

En amenant notre enfant intérieur à penser davantage aux autres, on l'aide à traverser une première étape de croissance psychologique. La seconde consistera à lui permettre d'exprimer ce qu'il ressent: peine, peur, colère, frustration, déception, etc.

EXPRIMONS NOS SENTIMENTS

Seul un très petit nombre d'adultes actuels ont vécu leur enfance auprès de personnes sensibles à leurs réactions émotives. Les autres ayant grandi en refoulant leurs émotions croient qu'il est vilain ou méchant de manifester leur frustration ou leur colère.

Au cours de mes séminaires de libération des mémoires émotionnelles, j'ai reçu plusieurs personnes qui avaient peur d'entreprendre cette démarche parce qu'elles croyaient qu'un monstre se cachait en elles.

Je me rappelle notamment un participant qui me confia après l'un de ces ateliers à quel point il avait eu peur de la colère qu'il portait en lui. Si sa femme le provoquait, il préférait se réfugier dans le mutisme. Mais plus il s'y enfermait, plus sa femme insistait pour le faire sortir de sa carapace. Lorsque la tension devenait trop forte, il partait pour ne revenir qu'après avoir repris possession de ses moyens.

Cet homme ne s'était jamais permis d'exprimer ses émotions. Pendant une grande partie de sa vie, il avait cru que s'il avait laissé sortir sa colère, il aurait pu tuer quelqu'un. C'est de cette réaction dont il avait le plus peur. Grâce au soutien compatissant et au climat sécurisant de l'atelier, cet homme osa enfin exprimer sa souffrance. En laissant monter ses larmes, il libéra sa colère refoulée; il frappa de toutes ses forces dans un oreiller, puis ce fut terminé. Il savait maintenant qu'il n'était pas dégradant d'extérioriser ses sentiments.

Pour grandir psychologiquement, il faut être capable d'exprimer ce que nous sommes, ce que nous ressentons et ce que nous vivons.

Lorsque j'étais enfant, j'avais très peur d'un de mes frères aînés, qui était lui-même un petit garçon souffrant dans le corps d'un homme de dix-huit ans. Cette peur me faisait presque ramper à la maison; je passais le plus clair de mon temps à l'extérieur. Cette situation était source de grande souffrance pour moi. J'aurais tellement voulu qu'un adulte me soutienne et comprenne ma peur. Mais ma mère nous disait: «Taisez-vous, ne parlez pas. Vous le connaissez, ne le provoquez pas.»

J'ai cherché de l'aide du côté de mes professeurs, mais je ne savais pas comment la demander. Je cachais ma souffrance, car je croyais que souffrir était honteux. Je tentais donc d'attirer l'attention de mon professeur en dérangeant la classe ou en faisant des conneries pour faire rire mes compagnes. J'espérais que l'enseignante me prenne à part et me dise: «Pourquoi agis-tu ainsi? Est-ce qu'il y a quelque chose qui ne va pas? Voudrais-tu qu'on en parle?»

Mes professeurs ne pouvaient entendre ce que je n'exprimais pas. Ils ne voyaient que mes comportements agaçants et ils me punissaient. C'est ainsi que j'ai appris à me fabriquer une carapace pour me protéger. Je défiais l'autorité et me montrais indifférente, comme si rien ne m'atteignait, alors que je dissimulais mon hypersensibilité.

Ce fut le drame de ma vie. Plus j'avais mal, plus ma carapace s'épaississait, à tel point que j'en étais devenue prisonnière et sur le point d'en mourir. C'est ce que j'appelais «mon long tunnel noir», un tunnel dont je croyais ne jamais pouvoir sortir.

Que de courage il m'a fallu pour arriver à briser cette carapace! Je crois que sans l'amour et la compréhension manifestés par divers intervenants, je n'y serais jamais parvenue; car ce n'est que dans l'amour que l'on peut se libérer, jamais dans le raisonnement ou la provocation. Tenter de percer la carapace d'une personne, c'est comme frapper une tortue pour lui faire sortir la tête; cela ne peut que la démolir. Toutefois, si elle sent qu'on la touche avec une infinie tendresse et qu'elle se rend compte qu'il n'y a pas de danger, elle osera sortir la tête, après quoi elle pourra commencer à avancer en toute liberté.

N'ayant pu exprimer sa souffrance, la petite fille en moi était demeurée une enfant habitant un corps d'adulte. Mais qui le savait? Très peu de personnes, car il faut être attentif aux autres pour les percevoir réellement. Sinon on n'y voit que le reflet de ses aspirations, de ses craintes ou de ses aversions.

Je faisais même l'envie de plusieurs personnes par ce que je semblais être ou vivre. Et pourtant, je me réfugiais derrière une façade. Au travail, on disait de moi: «Claudia, les problèmes lui coulent sur le dos comme de l'eau sur les ailes d'un canard.»

Ce n'est que dans mes relations affectives que la petite fille en moi sortait de sa coquille, sachant inconsciemment que l'amour lui permettait de s'exprimer. Cependant, l'être aimé ne savait comment réagir face à ces comportements infantiles et à ce constant besoin de recevoir des preuves d'amour. Il aurait fallu lui dire «Je t'aime» cent fois par jour et encore, elle en aurait douté. La petite fille ne savait que réclamer, comme s'il y avait eu en elle une soif d'amour et de tendresse qu'elle ne pouvait étancher.

Comment pouvait-elle être attentive aux besoins de l'autre ou à ce qu'il vivait? Elle l'épuisait, à cause de cet insatiable besoin d'amour qu'elle ressentait. Ne retirant rien de cette relation, l'autre s'éloignait. Plus il fuyait, plus la petite fille s'accrochait. Elle utilisait tous les stratagèmes, toutes les manipulations possibles pour le retenir une heure de plus, car elle croyait qu'elle ne pourrait vivre sans cette nourriture affective. Lorsqu'elle se sentait abandonnée, elle n'avait plus envie de vivre; pour surmonter ce désir de mourir, elle s'étourdissait dans mille et une occupations, afin de simplement survivre.

Lorsque j'ai découvert cette petite fille en moi, j'ai tenté de la faire taire et de la refouler davantage, mais ce fut inutile. Plus j'essayais, plus elle cherchait à se manifester.

Je n'ai pu m'en libérer que lorsque je lui ai permis d'exister, même dans les comportements que je considérais les plus inacceptables. Soudain, la petite fille en moi était devenue l'actrice, alors que l'autre aspect de moi qui commençait à grandir était devenu l'observatrice. En même temps, je réalisais à quel point cette enfant en moi était souffrante. C'est alors que j'ai entrepris de l'aider à guérir. À cette fin, il me fallut déployer un grand courage pour oser dire: «J'ai besoin d'aide.»

À cause de l'éducation reçue, certains adultes croient encore qu'il est humiliant de verser des larmes. Beaucoup d'entre eux ne se sont pas permis de pleurer lors du décès d'un être cher (père, mère, ami, etc.). Les gens disaient d'eux: «Elle est très courageuse» ou «Il est bien brave.» Mais le véritable courage aurait consisté à extérioriser leur peine. Ces personnes pleurent parfois en thérapie ce chagrin étouffé depuis dix ans, vingt ans, ou même davantage.

J'ai reçu dans l'un de mes groupes une femme dans la cinquantaine qui n'avait pas plus de quatre ans sur le plan affectif. À cause de son besoin constant d'attention, elle prenait beaucoup d'espace, s'attirant ainsi l'aversion du groupe. Chaque participant à cet atelier devait présenter un sujet qu'il avait intégré. Lorsque ce fut son tour, elle commença à disserter sur un sujet très ésotérique, ce qui ne concordait nullement avec les comportements dont nous avions été témoins depuis le début du cours. Choqués et à bout de patience, certains participants quittèrent la salle. Je demandai à cette femme de mettre son exposé de côté et de nous parler d'elle. Elle nous raconta alors comment elle avait appris brutalement, à l'âge de quatre ans, la mort de son père qu'elle aimait tant. Cette petite fille avait cessé de grandir psychologiquement ce jour-là. Celui qui lui tenait la main, qui la guidait dans le monde adulte l'avait quittée.

Ce fut pour moi une merveilleuse expérience qui me fit comprendre encore davantage l'importance de l'amour, de la patience et de l'accueil dans la relation d'aide. Pour permettre à l'autre d'exprimer totalement ce qu'il est, ce qu'il ressent, ce qu'il porte en lui, il nous faut avoir atteint nous-mêmes un certain degré de maturité. Rappelons-nous que les personnes qui adoptent les comportements les moins aimables sont celles qui ont le plus besoin d'amour. C'est seulement dans l'amour que l'on peut renaître.

Il n'est pas toujours facile de vivre avec une personne dont les agissements infantiles nous poussent à la limite de notre patience. Cependant, en lui précisant que ce sont ses comportements, et non elle, que nous n'aimons pas, nous pourrons l'aider à les corriger.

Dans une relation de couple, si l'un des conjoints est très infantile, l'autre assumera presque toujours le rôle protecteur du parent. Quelquefois ce dernier est à bout de ressources devant les provocations, les manipulations et les crises de larmes de son conjoint immature. Il est extrêmement important, dans ces moments de crise, que l'adulte protecteur rassure l'autre en lui disant qu'il l'aime et qu'il ne partira pas, sans toutefois céder aux menaces ou au chantage de ce dernier. Ce n'est qu'une fois rassuré que le conjoint perturbé pourra mettre un terme à sa crise. Il verra alors la nécessité de faire grandir son enfant intérieur pour ne pas briser la relation et pour se libérer de la souffrance.

Tout être humain ressent ce besoin fondamental d'extérioriser ce qu'il vit à l'intérieur. Même si nous réprimons ce besoin, notre inconscient cherchera toujours à manifester ce que nous ne nous permettons pas de vivre. On crée ainsi un conflit terrible entre cet inconscient qui dit: «Je veux» et notre conscient qui affirme: «C'est mal, ce n'est pas correct, c'est laid, honteux, répréhensible, etc.» Pensons aux personnes qui ressentent une attirance homosexuelle tout en croyant que ce n'est pas normal, pas correct. Se refusant totalement le droit de vivre selon ces tendances qu'elles nient, elles fuient dans le mariage, entrent dans une communauté religieuse, ou encore elles tentent de tout oublier dans l'alcool ou la drogue. La caractéristique de ces personnes, c'est de ne jamais être bien nulle part et de viser un idéal inaccessible, sans savoir que ce qu'elles recherchent est simplement de pouvoir être elles-mêmes.

En chacun de nous résident des émotions refoulées dans notre inconscient, qui sont la source d'une gamme de réactions que nous ne comprenons pas. Par exemple, nous nous retrouvons entre amis pour une fête. Tout le monde s'amuse et toutes les conditions semblent réunies pour que nous soyons heureux. Mais voilà que soudain, le cœur n'y est plus. À d'autres moments, nous nous sentons déprimés, anxieux et angoissés, sans raison apparente. Il peut même nous arriver d'être pris d'un fou rire impossible à maîtriser dans des moments aussi inopportuns que les funérailles d'un proche.

Il m'est déjà arrivé de m'ennuyer d'une façon indescriptible alors que je n'étais pourtant pas seule: j'avais l'affection de mes enfants, de mon conjoint, ainsi que de nombreuses occasions de me distraire. Rien n'y faisait. J'aurais été incapable de nommer la cause de cet ennui qui se manifestait avec une telle intensité. Qu'y avait-il donc dans mon inconscient, ou *non-manifesté*, qui cherchait à se révéler?

Si nous pouvions laisser émerger au grand jour tout ce qui est inconscient afin de nous en libérer, plus rien ne pourrait nous troubler. Or, la terrible peur de souffrir nous empêche de le faire.

DÉVELOPPONS NOTRE AUTONOMIE AFFECTIVE

La troisième étape de croissance psychologique pour parvenir à la maturité affective consistera à **ne dépendre que de soi-même** pour son bonheur, et non de s'en remettre aux autres ou aux événements. Si nous attendons l'appréciation des autres, nous nous préparons à vivre beaucoup de déceptions.

Au cours de ce processus, nous viserons à développer graduellement notre autonomie . Pour atteindre cette indépendance affective et intellectuelle, il faut trouver ses certitudes à l'intérieur de soi en se demandant: «Moi, qu'est-ce que j'en pense? Ai-je du plaisir dans ce que je fais? Suis-je satisfait(e) de moi? Est-ce dans cela que je souhaite m'engager?»

L'adulte dépendant et immature s'accroche à des systèmes de valeur (social, moral ou religieux) par peur de l'inconnu. Dans les *ashrams* et centres spirituels où je suis allée en Inde, j'ai remarqué que plusieurs disciples collaient à leur gourou comme l'enfant aux jupes de sa mère. À les entendre, il n'y avait que cette personne qui détenait la Vérité; toutes les autres étaient dans l'erreur. Tout en gardant une certaine distance, j'ai étudié les enseignements de base de chacun, et je me suis rendu compte qu'ils disaient tous la même chose.

Le véritable Maître encourage ses disciples à voler de leurs propres ailes et à trouver leurs propres certitudes intérieures. Aux disciples immatures, il donne, mais à ceux qui veulent devenir des adultes, le Maître demande.

Tant que nous ne sommes pas parvenus à trouver nos certitudes à l'intérieur de nous-mêmes, nous demeurons vulnérables à l'opinion des autres, cherchant nos réponses chez les médiums, les voyants, les astrologues, etc. Ces derniers peuvent parfois nous aider mais ils risquent aussi de nous perturber, de nous plonger dans la confusion et l'anxiété menant tout droit à un abîme de souffrance.

Grandir, c'est aussi accepter que rien n'arrive par hasard, que tout a sa raison d'être. Tout ce que nous avons vécu jusqu'à maintenant, nos difficultés, ce qui nous a fait mal, ce qui nous a rendus heureux ou malheureux, nous l'avons inconsciemment attiré pour évoluer.

Il ne s'agit pas de nous culpabiliser mais d'accepter que chaque situation nous propose une leçon à intégrer. Rappelons-nous que l'inconscient ou le *non-manifesté* cherche à extérioriser ce qu'il a emmagasiné et refoulé depuis l'état fœtal, et même depuis bien d'autres vies. Par contre, si nous sommes capables de reconnaître que nous avons attiré dans notre vie la maladie qui nous a terrassé, le voleur qui a pillé notre résidence, le vandale qui a égratigné notre automobile neuve et toutes ces tuiles qui nous tombent dessus, nous serons sur la voie qui nous conduira à devenir un véritable adulte.

LA MATURITÉ PROFESSIONNELLE

Parallèlement à l'autonomie affective, l'adulte en quête de sagesse spirituelle doit nécessairement développer ce que j'appelle la maturité professionnelle, c'est-à-dire la capacité de travailler avec et pour l'ensemble. Il s'agit du second niveau de maturité, celui que les maîtres spirituels identifient par «les autres et moi».

La maturité professionnelle concerne le rôle et la responsabilité qui nous incombent en tant que membres d'une équipe ou d'une collectivité, peu importe si l'on se trouve ou non sur le marché du travail. En voici quelques aspects.

- ***Reconnaître notre valeur et celle des autres***

Quel que soit le rôle que nous assumons, il a sa raison d'être et son importance. Aucune tâche n'est plus importante qu'une autre, car c'est leur conjugaison qui donne le produit fini. Si nous prenons comme exemple la réalisation du présent ouvrage, nous constatons que plusieurs personnes y ont participé: l'auteure a apporté les idées que d'autres lui avaient inspirées; des correcteurs(trices) ont collaboré à son écriture (certain(es) pour la forme, d'autres pour l'orthographe et la syntaxe); d'autres en ont fait la saisie, ont réalisé les graphiques, la page couverture puis la mise en pages. Toute une équipe a contribué à l'impression, en partant des personnes qui ont coupé, transporté et transformé le bois pour en faire du papier, jusqu'aux employés de l'imprimerie qui ont travaillé de près ou de loin à cette œuvre littéraire. À la sortie de l'imprimerie, le livre a été ensuite pris en charge par la maison de distribution, les représentants, les libraires, etc. Combien de personnes ont contribué à ce produit? Des centaines. Valoriser seulement l'auteure sans tenir compte de tous les intervenants constitue une forme d'infantilisme. Si on privilégie certaines tâches au détriment des autres, on ne reconnaît pas sa valeur propre par rapport à l'ensemble.

- ***Être capable de s'engager***

L'engagement lie une personne à une autre personne ou à un groupe. Il implique qu'il faille donner le meilleur de soi-même à l'entreprise dans laquelle nous nous sommes engagés. Cela concerne autant la vie de couple et le rôle de parent ou d'éducateur que celui d'employeur, d'employé, etc.

Pour donner le meilleur de soi-même, il faut se demander:

- *Comment puis-je contribuer le plus au succès de l'entreprise pour laquelle je travaille?*
- *Comment puis-je motiver mes employés à développer leur plein potentiel?*

Lorsqu'on est totalement engagé, on cherche des solutions aux problèmes qui se présentent alors que lorsqu'on ne l'est pas, on laisse aux autres la responsabilité de les régler. Accuser les autres n'arrange jamais une situation. Une personne véritablement adulte admettra qu'il y a un problème et elle cherchera les solutions les plus favorables.

- ***S'ouvrir à la nouveauté***

Beaucoup de personnes voudraient être parfaites ou expérimentées avant d'entreprendre une activité. Voilà la façon de se limiter.

Être adulte, c'est prendre conseil, demander de l'aide au besoin, oser et tirer profit de ses nouvelles expériences. En agissant de cette façon, nous pourrons à notre tour offrir notre soutien et notre encouragement à ceux et celles qui débuteront.

- ***Être flexible***

La rigidité n'apporte que des tensions. C'est grâce à la flexibilité que nous saurons le mieux nous adapter aux situations changeantes. C'est très souvent la peur qui nous incite à nous accrocher à une attitude ou à une croyance. La personne confiante se moule aux situations comme l'eau prend la forme du récipient qui la contient.

- ***Respecter les autres***

Être ponctuel, accueillir les idées et les opinions des autres, manifester de la compréhension, tenir compte des besoins des autres, voilà autant de façons de respecter son entourage.

- ***S'adapter aux personnes qui nous entourent***

Chaque personne qui fait partie d'une équipe est différente, et ce sont justement ces différences qui font la force de l'équipe. Si nous nous efforçons de nous adapter aux membres du groupe plutôt que de vouloir que ce soit eux qui s'adaptent à nous, nous aurons découvert les clés de la coopération.

- ***Clarifier sa façon de communiquer***

Les problèmes de communication sont à la base de beaucoup de conflits que l'on peut illustrer par les phrases suivantes:
«Tu ne m'avais pas dit ça.»
«Je ne le savais pas.»
«Tu aurais dû me le dire.»
«Je n'avais pas compris.»

La communication comporte deux phases essentielles.
La première consiste à transmettre à l'autre sa pensée, des directives ou des attentes. Il importe donc d'être clair et précis, sans présumer que l'autre sait ce que l'on veut dire, et de vérifier ensuite si celui-ci a bien saisi le message.
La seconde phase consiste à recevoir la pensée de l'autre, ses directives et ses attentes. L'écoute est fondamentale. On pourra, si nécessaire, demander plus de précisions et reformuler la pensée de l'autre pour être certain d'avoir bien compris sa demande.

- ***Adopter une ligne directrice***

Il est bon de planifier son travail, d'avoir des objectifs à court, à moyen et à long terme. Lorsqu'on est conscient de ce que l'on souhaite, on a plus de chances de réussir que lorsqu'on ne sait pas où l'on va. Un chef est celui qui montre la direction à suivre. Sans ligne directrice, on sera un piètre chef et peut-être un piètre collaborateur.

- ***Donner son opinion, ses suggestions ou appréciations et accepter celles des autres.***

Si l'on ne peut prendre que les compliments, c'est signe que l'on est encore infantile. Si l'on peut accepter autant les opinions et les suggestions que les critiques, en les utilisant pour s'améliorer, on manifeste alors une attitude adulte.

- ***Collaborer avec l'ensemble pour l'ensemble***

Le jour où chacun de nos gestes, chacune de nos paroles et de nos pensées tiendront compte à la fois de l'ensemble des personnes qui nous entourent, de la société et même de la planète tout entière, nous saurons que nous aurons grandi. Nous pourrons alors songer à acquérir une véritable maturité spirituelle.

Le corps n'est qu'un serviteur,
l'instrument de la pensée.
Il a été créé uniquement pour vous servir
et se maintiendra en vie aussi longtemps
que vous lui en donnerez les moyens.

Si vous acceptez des pensées de vieillissement,
vous attendant à ce qu'il dépérisse,
ou si vous ne lui accordez pas l'amour,
le bonheur et la joie,
il ira vers la décrépitude et la mort.

Ramtha

SE DÉCOUVRIR

Après avoir franchi la période égocentrique, caractérisée par l'affirmation du «moi seulement» et celle de la croissance vers «moi et les autres», nous pouvons faire un pas de plus en direction de la maturité spirituelle. Celle-ci consiste à se libérer du faux «moi» ou ego pour se fondre dans le Tout ou dans «les autres seulement». Voilà tout un programme pour quelqu'un qui a encore de la difficulté à simplement tenir compte des autres dans la satisfaction de ses propres désirs! Si cet objectif nous apparaît inaccessible, pour ne pas dire irréalisable, c'est que nous ignorons ou avons oublié notre véritable nature. Bien sûr, nous avons appris que nous avions été créés à l'image du Dieu tout-puissant et parfait et que, en tant que ses enfants, nous avions hérité de ses qualités. Mais ces connaissances ne suffisent pas pour que nous puissions manifester notre nature divine. La plupart des saints qui nous ont été présentés comme modèles ont souffert le martyre pour y arriver. Peu d'entre nous souhaitent subir le même sort...

Pour tendre vers un idéal aussi élevé que celui de renoncer à son moi-ego afin de pouvoir faire partie du tout, il faut d'autres motivations que l'esprit de sacrifice. Heureusement, de Grands Maîtres qui ont atteint cet objectif nous ont légué leurs connaissances. Certains sont encore vivants et nous enseignent la voie qu'ils ont suivie. En les voyant, on ne peut douter du bonheur incommensurable qui les habite.

Comment sont-ils parvenus à cet état? En «découvrant» leur véritable nature et en la laissant s'exprimer. Le verbe «découvrir» est ici tout à fait approprié, car la démarche dont il est question consiste à «enlever ce qui couvre». Voilà la clé, la Vérité que j'ai cherchée pendant des années et qui m'a été révélée en approfondissant le *Soûtra du Diamant*[1]. La Vérité n'est pas cachée, ce n'est donc pas elle qu'il faut chercher. Ce sont nos voiles qu'il faut retirer, pour découvrir qui nous sommes vraiment.

Quels sont ces voiles? Notre corps physique en est un; il recouvre notre véritable nature, tout comme un épais rideau de nuages masque temporairement le soleil.

La majorité des êtres humains s'identifient à leur corps. Cela s'explique par le fait que lorsqu'un enfant naît, il ne sait pas qui il est, ni où il est. Au cours de son voyage dans le monde de la matière, il oublie ses origines. Graduellement, il a appris à reconnaître les personnages et les objets qui l'entouraient. On lui a dit qu'il était un garçon ou une fille et on s'est adressé à lui en utilisant un prénom. Ces références à son corps et à son environnement l'ont ensuite amené à croire qu'il était véritablement ce corps, oubliant par le fait même sa véritable nature.

L'identification au corps - qui n'est qu'un revêtement, une enveloppe - a souvent pour conséquence de nous complexer ou de nous rendre malheureux si notre costume charnel est plus grand, plus petit ou plus gros que la moyenne. L'ignorance du rôle qu'il doit jouer dans notre évolution ainsi que la méconnaissance de notre réalité divine sont responsables du racisme et de la division qui affligent la grande famille universelle. Tant que nous nous identifierons à notre corps, à ses attributs physiques, à ses capacités

1. *Soûtra*: les paroles du Bouddha transcrites par ses disciples.

intellectuelles de même qu'à notre statut professionnel ou social, nous maintiendrons le voile sur notre réalité spirituelle. Pour accéder à notre véritable identité, il nous faudra bien comprendre le rôle et la composition des divers revêtements qui la recouvrent.

Le corps, tel qu'il est perçu par nos sens physiques, n'en constitue que la partie extérieure. En fait, il se compose également de particules de plus en plus fines qui forment ce que l'on peut appeler les «corps subtils». Ceux-ci imprègnent simultanément le corps physique, un peu à la manière des poupées russes qui s'emboîtent les unes dans les autres.

Nous pourrions comparer ces corps à des véhicules n'ayant qu'une fonction utilitaire, selon les mondes ou les dimensions dans lesquels évolue notre conscience.

Le premier véhicule que le jeune enfant apprend à conduire est généralement un tricycle. Ce dernier lui permet de se déplacer dans un rayon restreint, tout en étant surveillé ou encadré par un adulte. Une personne dépendante, tant sur le plan affectif que matériel, utilise un véhicule qui est l'équivalent du tricycle. Si elle travaille à atteindre une certaine autonomie affective et financière, elle y gagnera en liberté et pourra utiliser l'équivalent d'une bicyclette.

En entreprenant une démarche de croissance, nous arriverons à comprendre que nous ne sommes pas victimes des différentes situations que nous vivons mais que nous avons le pouvoir de les transformer. Nous pourrons ainsi développer avec le temps notre habileté à conduire un véhicule plus sophistiqué, l'équivalent d'une automobile. Et si nous persistons dans la recherche de notre plein potentiel, peut-être aurons-nous accès à des véhicules comparables à l'avion et à certains autres qui nous conduiront au-delà de l'espace et du temps. Mais pour être en mesure d'utiliser ces véhicules, il est impératif de bien les connaître et d'en apprendre le maniement.

NOS DIFFÉRENTS REVÊTEMENTS

Chacun de nos corps - ou véhicules - correspond au monde dans lequel il opère. Le premier de nos véhicules, le corps physique, correspond au revêtement le plus dense et appartient au monde de la matière, caractérisé par la multiplicité, la diversité et le changement continu des formes. Chaque instant voit apparaître de nouvelles formes, tant dans le règne minéral que dans le règne végétal, animal ou humain, pendant que certaines vieillissent et que d'autres meurent.

Si une seule cellule de notre corps est reliée à l'ensemble de notre organisme, il en va de même pour tout ce qui a pris forme dans ce monde de la matière: particules, atomes, cellules, produits, planètes, etc. Quelle que soit leur taille ou leur densité, ces formes ont émergé du grand corps physique universel et elles y retourneront lorsqu'elles auront atteint le stade de la décomposition. En ce sens, aucun corps physique ne peut être éternel; tous sont transitoires.

Nous pouvons en déduire que, physiquement, nous ne sommes que de passage en ce monde, tout comme la Terre elle-même est en transit dans l'Univers. Peut-être te demandes-tu: «Mais où étions-nous avant et où irons-nous après?» Voilà la grande question sur laquelle tant de philosophes se sont penchés et à laquelle seule la connaissance de notre véritable nature pourra apporter une réponse satisfaisante.

Mais nous ne disposons pas seulement de cet unique véhicule; nous en avons d'autres de nature plus subtile.
Divers termes sont utilisés pour décrire les différents revêtements de la Conscience (*Atma*) mais, en définitive, ils traduisent tous la même réalité. Les hindouistes enseignent qu'il y a cinq *koshas* (enveloppes), qui correspondent aux fonctions suivantes:

- physique ou *Annamayakosha*,
- physiologique ou *Pranamayakosha*,
- psychologique ou *Manomayakosha*,
- logique ou *Vijnanamayakosha*,
- mystique ou *Anandamayakosha*.

Cependant, la plupart des écoles philosophiques utilisent préférablement la conception des sept corps de l'être humain, soit:

- le corps physique,
- le corps vital (le double éthérique),
- le corps astral,
- le corps mental,

- le corps causal,
- le corps bouddhique,
- le corps atmique ou christique.

Si nous tentons de faire un parallèle entre ces deux types de dénomination, nous constatons que:

- Les corps physique et vital correspondent aux fonctions physiques et physiologiques, ou *Annamayakosha* et *Pranamayakosha*;

- Le corps astral, qui est le siège des désirs et des émotions, s'apparente à l'aspect psychologique, ou *Manomayakosha*;

- Le corps mental relève de la pensée logique, ou intelligence; il est l'équivalent de *Vijnanamayakosha*;

- Le corps causal, qui enrobe les *vasanas* (inclinaisons) et les *samskaras* (empreintes karmiques latentes), est l'enveloppe la plus profonde de l'Âme suprême (*Atma*) qui est pure *Ananda*. Ce corps est comparable au corps de béatitude ou corps mystique *Anandamayakosha*.

- Le corps bouddhique est le véhicule de notre intuition (Maître intérieur); c'est par ce corps que nous sommes reliés au Soi ou Ame suprême.

- Le corps atmique ou christique s'atteint par la fusion de notre nature inférieure avec notre nature supérieure; là où il n'y a plus qu'unité ou Absolu.

Bien que chaque être humain possède tous ces véhicules qu'il peut potentiellement utiliser, la majorité d'entre eux en ignorent l'existence. Heureusement, grâce aux enseignements des Grands Maîtres, nous pouvons apprendre à les utiliser consciemment.

LE CORPS PHYSIQUE

Ce véhicule est composé de deux parties:

- l'une, dite grossière, est la partie que nous voyons avec nos yeux et que nous pouvons palper puisqu'elle est constituée de matières denses ou solides, liquides ou gazeuses;
- l'autre, appelée son «double éthérique», parce qu'elle est un duplicata exact du corps grossier et qu'elle est composée d'éthers.

Chacune de ces parties assure les fonctions essentielles à la bonne marche du véhicule.

LE CORPS GROSSIER

Les fonctions automatiques, telles que les battements de cœur, la respiration, la digestion et l'élimination, sont assurées par le système nerveux appelé «grand sympathique». En général, nous n'intervenons pas dans ce système autonome, à moins qu'il y ait une défectuosité. Cependant, quelques personnes, dont certains yogis, sont arrivés, à la suite de longues pratiques, à modifier leur respiration, à arrêter leur cœur de battre, etc.

Le système nerveux volontaire présente plus d'intérêt pour nous, car il est le moyen d'expression de la conscience et de la volonté. Sans ses composantes que sont le cerveau et le système nerveux, l'être humain ne pourrait communiquer avec le monde physique.

Pour bien utiliser notre premier véhicule, qui est notre instrument de base, il est important qu'il soit bien entretenu et bien réglé. Si nous le négligeons ou ne l'alimentons pas adéquatement, il s'avérera un piètre serviteur pour le rôle qu'il a à jouer.

Établissons d'abord une analogie avec l'automobile. Si nous en remplissons le réservoir avec un carburant à indice d'octane inférieur à celui recommandé, notre véhicule sera moins performant que si on utilise un produit supérieur. Il en va de même pour notre

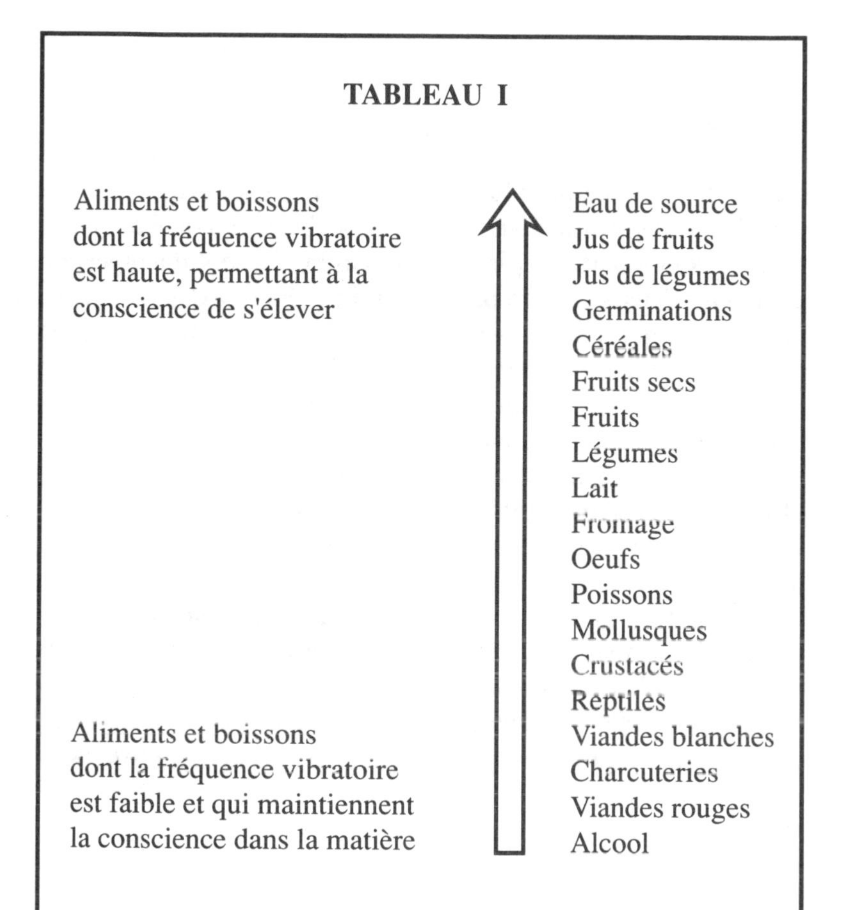

corps. Si nous agissons en conducteur inconscient et faisons entrer dans notre réservoir des substances qui plaisent à *kâma* (le désir) mais qui sont nuisibles au bon fonctionnement de notre véhicule, nous ne pourrons parcourir de grandes distances.
Plus nous consommerons de matières denses, c'est-à-dire dont les fréquences vibratoires sont basses (alcool, chair des mammifères, des reptiles, des poissons et des crustacés), plus notre conscience se maintiendra dans les régions inférieures, limitant nos possibilités au minimum (voir tableau I).

Si, au contraire, nous optons pour une nourriture et des boissons dont les vibrations sont élevées, comme l'eau de source naturelle, les fruits et les légumes frais, notre conscience pourra se déplacer vers des régions supérieures, augmentant ainsi nos capacités de capter des fréquences plus subtiles. Pour se convaincre de la véracité de ces affirmations, il n'y a qu'à observer à quel point nos facultés sont réduites par la consommation d'alcool. La digestion d'aliments denses requiert beaucoup plus d'énergie que celle associée aux catégories plus légères. Toute personne qui suit un régime végétarien depuis des années et qui élimine l'alcool est en mesure de noter une augmentation de sa sensibilité aux sons, aux couleurs et à tout ce qui est harmonieux.

La modification de notre alimentation entraîne à coup sûr des changements dans notre façon de penser et d'agir, et, conséquemment, dans nos champs d'intérêt ainsi que dans les choix que nous faisons.

Pour accomplir un travail spirituel, nous devrons nécessairement raffiner notre instrument afin de recevoir des énergies plus subtiles des plans supérieurs.

En purifiant et en allégeant notre corps grossier, nous pourrons éventuellement utiliser nos autres véhicules. Pour ce faire, nous devrons:

- *Éliminer toute boisson contenant de l'alcool, car l'alcool nous maintient dans des régions de basses fréquences vibratoires.*
- *Adopter un nouveau régime alimentaire, composé en grande partie d'aliments frais, et éliminer autant que possible les viandes, poissons et crustacés.*
- *Apprendre à discipliner notre corps physique.*

Le voyageur qui aurait oublié qu'il est le conducteur de son véhicule pourrait croire que c'est le véhicule qui le conduit. Il se laisserait ballotter, tout en se demandant comment il se fait que tant de difficultés lui arrivent. Mais s'il sort de son état léthargique et reprend les commandes, il pourra se rendre là où il le désire avec son véhicule.

Sans discipline, aucune maîtrise n'est possible.

Discipline ne veut pas dire contrainte; toute discipline doit être choisie et voulue. Procéder à des modifications dans ses choix alimentaires en est déjà une forme.

Pour arriver à discipliner son corps, il faut simplement se rappeler que ce dernier agit le plus souvent de façon routinière. Au début, nous aurons besoin d'une certaine dose de volonté pour l'amener à délaisser certaines habitudes au profit de nouvelles, mais dès qu'il aura adopté ces dernières, il s'y accoutumera aussi facilement qu'il s'était plié aux anciennes.

Il est préférable d'entreprendre un changement à la fois, afin d'y apporter toute notre attention. Quand nos nouvelles habitudes seront bien installées, nous pourrons choisir un autre domaine. C'est ainsi que nous arriverons, jour après jour, à discipliner également le désir qui était aux commandes de notre véhicule.

LE DOUBLE ÉTHÉRIQUE

Certains auteurs lui donnent le nom de «corps vital». Les hindouistes le nomment *Pranamayakosha*, c'est-à-dire «véhicule du souffle de vie».

Le double éthérique pourrait se comparer à un système électrique très sophistiqué. Constitué de milliers de petits filaments d'éther, il pénètre chaque particule solide, liquide et gazeuse du corps grossier. Il permet ainsi à la force de vie, le *prâna*, d'alimenter en énergie chaque composant du corps physique, aussi infime soit-il.

Ce treillis de filaments est parfaitement adapté au corps charnel et lui constitue une doublure. C'est pourquoi toute modification de l'un entraîne automatiquement des changements chez l'autre; l'un ne peut vivre sans l'autre.

La fonction principale du corps vital est de servir d'intermédiaire entre l'énergie de vie (*prâna*) et le corps physique. Il diffère donc des autres corps par le fait qu'il n'est pas un véhicule de la conscience, mais du *prâna* qui circule par son réseau.

Ce double éthérique qui a la capacité de capter et de distribuer l'énergie de vie (*prâna*) imprègne donc tous les mondes (physique, astral et mental) et se retrouve dans l'air que nous respirons. La meilleure façon d'en tirer parti serait donc de l'utiliser pour augmenter notre vitalité. À cet égard, les exercices de respiration lente et profonde seront utiles, car ils ont pour effet de nous détendre, de nous calmer et de nous énergiser, en plus de nous rendre plus réceptifs. La qualité de l'air inspiré aura également beaucoup d'importance. Là où la qualité du *prâna* est moindre, tel que dans les villes très peuplées, les gens ont tendance à être nerveux, irritables, et parfois déprimés ou dépressifs. La respiration a également de l'importance dans la maîtrise des émotions, car le corps vital assure l'échange entre le corps physique et le corps astral (le corps des émotions).

Au moment de la mort, le double éthérique se sépare du corps physique. Ne recevant plus l'énergie de vie, celui-ci s'immobilise pour ensuite se décomposer.

Le double éthérique persistera encore pour une très courte période et il pourra être aperçu près de l'endroit où gît celui qui a été son associé de vie. Cela peut expliquer certaines apparitions qui surviennent juste après le décès d'une personne, ou encore le phénomène des fantômes au cimetière. Lorsque toute l'énergie de vie aura quitté le corps vital, celui-ci se décomposera à son tour.

LE CORPS ASTRAL

Le corps astral est le véhicule de la conscience kâmique, c'est-à-dire le siège de toutes les passions animales et de tous les désirs. C'est le centre où naissent toutes les sensations. C'est pourquoi on lui donne également le nom de «corps du désir», ou «corps des sensations», ou encore «corps des émotions».

Le corps astral sert d'intermédiaire entre le corps mental et le corps physique. Sans le corps astral, aucun lien ne pourrait relier les impressions reçues par les sens physiques à leur perception par l'intellect. C'est dans le corps astral que l'impression se transforme en sensation, qui sera ensuite perçue par le mental.

Bien que tous les corps s'interpénètrent, le corps astral évolue plus spécifiquement dans le monde astral. Il s'agit d'une dimension de l'Univers qui n'est pas assujettie à l'espace-temps linéaire tel que nous le connaissons sur le plan physique. Mais il n'en demeure pas moins tout aussi relativement réel.

Ce monde subtil qui entoure et pénètre le plan physique est constitué de substances astrales renfermant un potentiel inouï de création. Cette notion révélera toute son importance lorsqu'il s'agira de comprendre les manifestations qui peuvent être observées dans le monde physique.

Ces dernières années, les savants ont découvert que l'atome, qu'ils considéraient depuis Démocrite comme étant bel et bien un objet, n'était en fin de compte qu'une idée et que cet élément pouvait se présenter autant sous la forme d'ondes que sous celle de particules. Si nous prenons le plus infime des atomes physiques et que nous le dissocions de ses composants (protons, électrons), il disparaît du monde physique. Mais si nous étions capables de voir dans l'astral, nous y retrouverions cet atome, composé de nombreuses particules des substances astrales les plus grossières. Cela signifie que tout ce qui existe dans la dimension physique (les objets, de même que les situations et les événements) a été façonné dans le monde astral, que l'on peut considérer comme la matrice du plan physique.

C'est dans cette dimension que naissent nos appréhensions, nos peurs et nos désirs. Leurs manifestations ici-bas seront conditionnelles à leur intensité. S'il s'agit d'un désir flou, celui-ci ne pourra donner naissance à un moule capable de le manifester sur le plan physique. Seul un désir profond et soutenu pourra former ce moule. C'est pourquoi une image mentale ressentie avec intensité ou entretenue aura un pouvoir de «création», dans le sens de «manifestation dans la matière».

Toute condition agréable ou désagréable (maladie, difficulté, événement merveilleux, etc.) a pris forme dans le monde astral avant de se manifester sur le plan physique. Cela expliquerait que nos rêves, qui appartiennent au monde astral, peuvent parfois nous renseigner sur des événements futurs, car ces derniers existent déjà dans le monde subtil.

Les mondes physique et astral comptent chacun sept niveaux de densité. Le premier comprend les éléments suivants, du plus dense au plus subtil: les solides, les liquides, les gaz et quatre types d'éther. Il en va de même pour le monde astral, dont les sous-plans vont également du plus grossier au plus subtil. Sans en définir chaque niveau, retenons que la partie inférieure, le bas-astral, est constituée de ce que plusieurs religions définissent comme l'enfer, alors que le haut-astral correspond au paradis promis aux êtres vertueux.

Même si on a souvent tenté de les représenter par des images, le ciel et l'enfer ne sont pas des lieux physiques; ce sont des états d'être.

Quand nous sommes angoissés, tristes, malheureux ou anxieux, nous voyageons dans les régions du bas-astral. Par contre, lorsque nous ressentons de la joie et vivons dans l'harmonie, en plus de nous sentir en communion avec l'univers, c'est que notre conscience se situe dans le haut-astral.

Certaines personnes demeurent continuellement à l'intérieur des régions du bas-astral. Ce sont celles qui s'accrochent à des sentiments de haine ou de rancune et qui nourrissent des désirs de vengeance. D'autres se promènent entre les derniers sous-plans du bas-astral et le premier du haut-astral. Ce sont celles qui laissent leurs désirs être leur maître et qui oscillent entre la satisfaction et la frustration.

D'autres personnes, enfin, évoluent continuellement à l'intérieur des régions du haut-astral. Cette catégorie est constituée d'êtres qui ont assouvi leurs besoins primaires (affection, satisfactions égoïstes) et qui sont animés d'un profond désir d'aider ceux qui souffrent.

Notre aptitude à nous déplacer dans ces plans dépend des véhicules que nous utilisons, lesquels sont comparables à des molécules d'eau. Plus les éléments qui composent ces véhicules sont lourds, denses et grossiers, plus la conscience qui y voyage est limitée - tout comme les molécules d'eau à l'état de glace ont beaucoup moins de latitude que lorsqu'elles sont à l'état de vapeur. On comprend donc l'importance de purifier ses désirs, ses sentiments et ses actions afin que la conscience puisse s'élever du bas vers le haut-astral.

Le corps astral attire vers lui des éléments de même nature, tant pendant notre séjour dans le monde de la matière que lors de notre passage dans le monde des sensations. C'est pourquoi tout aliment, toute pensée ou tout sentiment grossier ou impur attire des énergies (parfois appelées «entités») du bas-astral.

On décrit souvent, et avec raison, l'alcoolisme, la drogue, la prostitution ou la dépression comme un enfer. Une personne vivant une dépression nerveuse peut, à certains moments, être effrayée par les pensées et les images qui l'obsèdent. Certaines vont même entendre des voix leur ordonnant de se jeter devant un camion ou de se couper les veines. Très souvent, on doit interner ces personnes dans un établissement psychiatrique.

Voyons maintenant comment le monde astral imprègne et influence le plan physique en utilisant ce que nous appelons des élémentals et des élémentaires. Les premiers sont des formes-pensées provenant d'êtres qui, après leur avoir donné naissance, les ont abandonnées. Par exemple, une personne en colère devient envahie par des idées de vengeance qu'elle nourrit pendant un certain temps, puis elle renonce à y donner suite pour finalement s'en détacher. Cette forme-pensée errera temporairement dans le bas-astral et toute personne vibrant en affinité avec elle l'attirera dans son champ vibratoire. Certains clairvoyants sont capables de percevoir les élémentals qu'ils décrivent comme des taches sombres de couleur noire, grise ou rouge.

Les élémentaires, eux, sont des êtres qui ont quitté le monde physique et qui sont emprisonnés dans leur corps astral. Pour assouvir les basses intentions dont ils se nourrissent, ils rôdent autour de victimes potentielles en tentant de les influencer. Pour ce faire, ils font entendre des voix et peuvent même, à certains moments, s'introduire dans le corps de leurs victimes pour les amener à poser des gestes regrettables.

J'ai reçu en thérapie un jeune homme qui, la nuit, faisait des cauchemars qui pouvaient le conduire à se jeter par terre ou à briser des objets dans sa chambre. Ses parents ne comprenaient rien à ces crises dont il ne se rappelait que vaguement à son réveil. À cause de haines refoulées, ce jeune homme se rendait ainsi dans des régions du bas-astral, où il devenait victime d'élémentaires.

Il arrive qu'une personne qui en a tué une autre ne comprenne absolument pas ce qui s'est passé. Pour seule explication, elle dira: «Ce n'était pas moi; une force m'a poussée à poser ce geste.»

Un homme pourtant doux et affectueux fut reconnu coupable du meurtre et du viol de son amie de cœur. Au parloir de la prison, peu après le crime, il dit à sa mère venue le visiter: «Écoute, maman, je ne sais pas ce qui m'a pris. Je ne sais même pas ce qui s'est passé. Françoise, je n'aurais jamais osé lui donner une claque.»

Cet homme en voulait à son père et il en avait peur. C'est ce sentiment qui a permis aux élémentaires de se manifester.

Il ne faut pas avoir peur de ce monde inférieur, mais simplement savoir que nous avons le choix de le visiter, de le fréquenter, d'en sortir ou de l'éviter. Comparons-le à un bar où nous sommes déjà entrés et où nous nous sommes enivrés. Nous avons le choix d'y retourner ou non. Si nous y allons de nouveau, il se peut que nous tombions dans le piège de la dépendance. Même à ce stade, si nous avons un intense désir de nous en sortir, nous attirerons l'aide dont nous aurons besoin.

Nous visitons tous, à un moment ou à un autre, cet état du bas-astral. Nous pouvons cependant reconnaître ce qui nous y a conduit. Nous verrons qu'il s'agit souvent d'excès (possessivité, jalousie, besoins à combler, etc.). Dès lors, nous pourrons rechercher l'équilibre qui est à la base de l'harmonie.

Pendant notre sommeil, notre corps astral quitte notre corps physique afin de se recharger en énergie subtile. L'endroit où il se rendra et les images-symboles qu'il en rapportera au réveil seront nécessairement en continuité avec notre vécu sur le plan physique.

Si une personne fait un cauchemar, c'est qu'elle a fréquenté les régions du bas-astral, tandis que celle qui fait un rêve merveilleux a visité la dimension du haut-astral. Il en va de même pour ces lieux astraux où nous nous rendons après notre mort.

À ce sujet, les bouddhistes signalent que nous aurions intérêt à nous préparer à notre mort, ce qui ne signifie pas qu'il faille s'attendre à mourir bientôt. Quand nous évoluons dans le monde de la matière, il nous faut préparer notre retraite afin que, le moment venu, nous puissions jouir au maximum de la récolte. Ainsi en est-il pour les semailles que nous aurons effectuées au cours de notre vie terrestre.

Plus nous aurons cultivé le bien-être et l'harmonie, plus nous vivrons ces mêmes états lors de notre séjour dans la dimension astrale; alors que si nous avons laissé les désirs nous créer de la frustration, de la colère, de l'amertume et de la souffrance, ces états se poursuivront également dans le monde astral.

L'aspect du corps astral, selon ce que certains clairvoyants ont réussi à en déceler, dépend des matériaux qui le composent. Chez l'être peu évolué spirituellement, les contours en sont mal définis et les couleurs, sombres. Lorsque, au cours de la nuit, le corps astral quitte le corps physique du dormeur, sa forme est plutôt amiboïde. Chez la personne ayant atteint un certain niveau de spiritualité, le corps astral est bien développé, ses matériaux parfaitement organisés et nettement délimités, et ses couleurs lumineuses. C'est donc avec un corps bien structuré que l'être évolué spirituellement quitte son véhicule physique pour continuer d'œuvrer dans la dimension astrale. Celui qui maîtrise complètement ce véhicule a la possibilité de se déplacer où il le désire dans les dimensions physique et astrale. Selon la capacité de vision de la personne qu'il souhaite rencontrer, le voyageur astral se présentera dans sa forme éthérique, ou il attirera des particules de matière physique pour densifier son véhicule. Cela peut nous aider à comprendre les phénomènes de dématérialisation ainsi que les apparitions.

En lisant la vie des Maîtres, je me demandais bien comment certains sages s'y prenaient pour ramener leur corps avec eux au moment de la mort, compte tenu que tout ce qui appartient au monde de la matière doit y retourner. Peut-être s'agissait-il d'un phénomène de dématérialisation.

Jésus le Christ aurait-il dématérialisé son corps de chair, vu qu'on n'a pu le retrouver là où il avait été inhumé? Et se serait-il montré à ses apôtres avec son corps astral devenu temporairement dense pour leur donner ses dernières instructions? Le Maître Saï Baba est un autre de ces sages reconnu pour son pouvoir de matérialisation et de dématérialisation. À plusieurs reprises, il a été vu simultanément à des endroits différents.

COMMENT POUVONS-NOUS PERFECTIONNER NOTRE VÉHICULE ASTRAL?

- *En purifiant notre corps physique par l'absorption d'aliments de nature plus subtile que grossière, ainsi que nous l'avons vu précédemment.*

- *En veillant à ce que l'air respiré et absorbé par notre peau soit le plus pur possible.*

- *En étant attentif à ce que nous laissons entrer par nos oreilles.*

Certaines musiques ayant la propriété de hausser nos vibrations nous transportent vers la dimension du haut-astral alors que d'autres pièces musicales provoquent l'effet contraire; elles abaissent la fréquence vibratoire de leurs auditeurs, les gardant ou les entraînant ainsi dans les régions du bas-astral. Le même principe s'applique également pour ce que nous laissons pénétrer par nos autres sens.

- *En entretenant des pensés et des sentiments nobles ainsi qu'un désir sincère de se libérer de tout sentiment ou de toute émotion susceptible de rompre l'harmonie.*

On pourra accélérer ce processus de perfectionnement en offrant notre aide aux Frères aînés de la Lumière, en disant par exemple avant de s'endormir: «Je demande que mon corps astral soit au service de la Lumière, pour le plus grand bien de l'humanité.» L'analyse de nos rêves s'avère aussi un excellent instrument pour réussir cette démarche. Il est à noter que les somnifères sont très nocifs en ce sens, parce qu'ils bloquent la sortie du corps astral pendant le sommeil.

Si nous mettons en application ces règles de purification et d'entretien, nous parviendrons un jour à quitter consciemment notre corps physique, de la même façon que nous retirons nos vêtements. Quand nous aurons réalisé que notre corps de matière n'est qu'une enveloppe, un revêtement, nous comprendrons mieux la valeur de notre vie physique.

L'être humain ne commence à briser ses chaînes pour gagner sa liberté que le jour où il met sa nature inférieure au service de sa nature supérieure.

Chaque être humain étant doté d'un libre arbitre, il peut, à son gré, choisir la voie de la souffrance ou celle de la sagesse.

LE CORPS MENTAL

Si le monde astral imprègne le monde physique, le monde mental, quant à lui, recouvre et pénètre le monde astral et physique.

Ce plan est considéré comme la demeure des dieux, du fait qu'il est situé au-delà du monde des sensations. Rien de ce qui engendre la peur ou la tristesse ne l'affecte, et il est possible d'y voyager si nous disposons du véhicule approprié.

Il est divisé, lui aussi, en sept sous-plans; l'une de ses particularités consiste en ce que la conscience de l'être s'y déplace avec deux véhicules. Les quatre sous-plans inférieurs sont réservés au véhicule du corps mental alors que les trois sous-plans supérieurs sont attribués au véhicule du corps causal.

Le corps mental est composé de substances beaucoup plus subtiles que celles du corps astral, qui est lui-même constitué de matériaux plus raffinés que ceux du corps physique.

La personne dont le véhicule mental est peu développé n'est pas vraiment la conceptrice de ses pensées. Son corps astral baigne dans un flot de pensées qui sont retransmises au corps physique par l'intermédiaire du corps astral. La faiblesse du corps mental engendre une conscience de masse. Il en résulte que les individus n'ayant pas d'opinions personnelles se laissent entraîner par l'idée de l'ensemble. C'est ce qui explique la popularité de certains chanteurs ou de certains chefs politiques ou religieux qui peuvent exercer leur pouvoir sur des foules entières.

Le flot des pensées qui nous habitent tout comme l'attirance qui nous pousse vers l'un de ces grands leaders dépendent de la fréquence vibratoire à laquelle nous nous sommes syntonisés. Si, par exemple, nous vivons un profond sentiment de révolte, les pensées que nous entretiendrons, les amis que nous fréquenterons ainsi que le chef que nous suivrons vibreront tous à la fréquence propre à la révolte. Par contre, si nous recherchons la paix, l'amour et la compassion, nous serons forcément attirés vers un instructeur qui en est l'exemple même. Lorsqu'un instructeur vibre à de hautes fréquences vibratoires par l'amour, l'accueil et la compassion qui l'animent, nous en sommes automatiquement touchés. Les plus nobles pensées nous habitent et nos sentiments s'élèvent. Nous en ressentons un tel bien-être et une telle énergie que nous appréhendons parfois la séparation, croyant que sans le guide, nous ne pourrons retrouver des moments aussi intenses.

Une fois remplis de cette belle énergie, nous quittons ce groupe et nous retournons dans un milieu où la fréquence vibratoire est de beaucoup inférieure. Les décisions que nous avions prises dans ce contexte vibratoirement élevé s'envolent parfois en fumée. Nous reprenons nos vieilles habitudes de juger, de critiquer, de dire du mal des autres... Pourquoi? Parce que notre véhicule mental n'étant pas suffisamment fort, nous sommes envahis par un flot de pensées qui correspondent au lieu dans lequel nous évoluons, d'où l'importance de perfectionner notre véhicule.

Les cours de croissance personnelle ont beaucoup aidé leurs adeptes à se démarquer de l'ensemble afin d'acquérir une certaine autonomie. Cette démarcation a souvent pour conséquence de renforcer le moi-ego. Mais cette étape est cependant nécessaire pour édifier un corps mental où la liberté de pensée et le discernement auront largement leur place.

COMMENT DÉVELOPPER NOTRE CORPS MENTAL?

Le corps mental croît par la pensée. Pour le développer, il importe d'utiliser nos facultés créatives et notre intelligence. Pour ce faire, nous aurons intérêt à être vigilants quant aux pensées qui viennent à notre conscience, afin de déterminer celles que nous voulons retenir et celles dont il serait préférable de nous départir. Aussi, dès qu'une pensée noble se manifeste, il nous faut concentrer toute notre attention sur elle pour la nourrir et la fortifier. Par la suite, nous l'enverrons dans le plan astral pour qu'elle agisse comme force bienfaisante.

Cette façon de procéder est utilisée dans le bouddhisme. L'une des premières pratiques à être associée à chacune des activités courantes est la prise de refuges. Elle consiste à s'en remettre aux soins du Bouddha (l'Absolu), du *dharma* (la loi divine) et de la *sanga* (la communauté spirituelle). Elle a pour but d'élever notre fréquence vibratoire. Lorsque nous avons terminé la tâche que nous avons accomplie avec amour et désintéressement, nous l'offrons pour que tous les êtres connaissent le bonheur.

Pour ce qui est des pensées dont nous souhaitons nous libérer, nous ne leur accorderons aucune attention. Lorsqu'elles se manifestent, nous pouvons les annuler en traçant mentalement une croix dessus, ou encore en nous imaginant en train de les effacer.

Plus nous pratiquerons ces exercices, plus les pensées nobles et brillantes se feront nombreuses et plus celles qui sont néfastes se feront rares. Ainsi, notre corps mental développera une aptitude à attirer dans son environnement les pensées les plus élevées, repoussant celles qui ne seraient pas favorables à son épanouissement.

Chaque pensée se revêt de substances astrales qui forment une matrice pour assurer sa matérialisation dans le monde de la matière. Ayant pouvoir de création dans notre imagination, toutes les pensées entretenues produiront des résultats sur les trois plans, même si nous n'en remarquons pas toujours les manifestations sur le plan physique.

Tout ce qui existe en ce monde de matière fut d'abord une pensée. Toute personne qui développe son corps mental accroît, par conséquent, son pouvoir de «création» ou de manifestation.

Un autre exercice favorisant le développement de notre corps mental est la pratique de la concentration. Elle consiste à fixer notre attention de façon soutenue sur un mot, une image ou un objet, en évitant autant que possible de laisser notre pensée vagabonder ou se disperser sur d'autres sujets.

Lorsque le temps sera venu pour l'être de quitter son véhicule physique, il poursuivra son évolution dans le monde astral en utilisant son corps astral pendant un certain temps. Puis, avec son corps mental, il continuera son périple dans le monde mental.

Selon le perfectionnement de ce véhicule, il pourra œuvrer dans cette dimension pour compléter son développement. Ces nouvelles expériences enrichiront sa conscience lors de son retour dans un véhicule de matière physique. Ce processus peut se produire autant pendant la nuit, lorsque nous quittons temporairement notre véhicule physique, qu'après la mort de ce dernier. Le corps mental n'étant pas assujetti aux émotions, il pourra alors faire preuve d'un meilleur discernement face aux influences du monde astral.

LE CORPS CAUSAL

Second véhicule ou véhicule supérieur du plan mental, le corps causal est constitué d'une fine matière si subtile qu'il ressemble à un voile délicat et incolore. C'est le fil qui soutient et relie toutes les vies. Réceptacle de toutes les causes, bonnes ou mauvaises, il est tout ce qui reste après la décomposition des véhicules inférieurs.

Le bien servira à sa croissance alors que le mal n'y séjournera qu'à l'état latent, sous forme de germes. Lorsque le «Soi» utilisera de nouveaux véhicules pour revenir à la vie terrestre, ces germes, demeurés jusque-là inactifs, seront revivifiés en passant dans le monde astral et ils se manifesteront ensuite dans les tendances et empreintes de l'enfant à naître.

Le rôle du corps causal est d'assurer la continuité. Les événements, situations, sentiments et émotions vécus à l'état de veille passent du plan physique aux corps astral et mental. Ils sont ensuite emmagasinés ou enregistrés dans le corps causal pendant notre sommeil profond ou après notre mort, formant ainsi des lignes de continuité.

Pour comprendre ces lignes de continuité ou lignes de force, prenons l'exemple suivant: si nous posons une feuille de papier sur un aimant et que nous y répandons de la limaille de fer en une mince couche uniforme, nous verrons apparaître dans la limaille une figure géométrique parfaitement ordonnée. Comment expliquer ce phénomène? Les grains de limaille s'alignent de manière spectaculaire le long de ce qu'on appelle des «lignes de force magnétique». Il est bien clair que même sans la limaille, ces lignes sont présentes. Les contours de la figure ainsi formée dépendront des lignes de force en présence.

Ce sont ces lignes qui détermineront tous les éléments qui entoureront notre venue dans le plan de la matière: le lieu, la date et les conditions de notre naissance, les prénoms qui nous seront donnés, notre apparence physique, les parents que nous aurons ainsi que les expériences que nous vivrons.

Si nous n'éveillons pas notre conscience et nous contentons d'exister comme un automate, sans nous poser de questions, ces lignes de force nous feront revivre continuellement les mêmes scénarios.

Au cours d'un premier voyage en Inde, j'avais été impressionnée par l'exactitude de l'astrologie tibétaine. J'avais en effet confié aux astrologues ma date de naissance ainsi que celle de Laurent. Six mois après mon départ d'Asie, je reçus mon thème astrologique tibétain. Je me suis alors demandé comment ces gens arrivaient à décrire de façon aussi exacte le physique de Laurent, sa naissance prématurée, les événements qu'il avait vécus, ses intérêts, ses traits de caractère, etc. Pour appuyer leurs dires, ils avaient même indiqué l'emplacement de ses marques de naissance.

Comment réussissaient-ils donc à dépeindre une personne avec autant de précision en se basant uniquement sur la date, l'heure et le lieu de sa naissance?

Le principe des lignes de force nous permet de trouver la réponse ainsi qu'une explication à l'interprétation numérologique et astrologique, de même qu'à celle des lignes de la main. Ces dernières sont en effet inscrites dans la paume de nos mains, et il n'y a pas deux personnes qui possèdent les mêmes empreintes digitales parce qu'aucune, justement, n'a les mêmes empreintes karmiques.

Les lignes de force sont responsables de nos attirances et de nos répulsions, de nos talents, de nos aptitudes et de nos difficultés. C'est ce qui explique:

- Que nous préférons vivre à la montagne, au bord d'un lac ou à la campagne plutôt qu'à la ville;
- Que nous sommes attirés par la recherche de la vérité alors que d'autres ne s'y intéressent nullement;
- Qu'une personne entre en extase devant une porcelaine de Chine alors que ce même objet en laissera une autre complètement indifférente;
- Qu'une personne vibre davantage à une musique qu'à une autre;
- Que certaines personnes sont cleptomanes, pyromanes, claustrophobes ou hydrophobes;
- Qu'un bébé rejette un aliment et en adore un autre.

L'un de mes amis m'a un jour appelée pour me demander s'il était possible qu'un bébé naisse végétarien. Sa petite fille rejetait en effet depuis sa naissance tout aliment contenant des cellules animales. Je lui demandai alors comment elle se comportait avec le lait de soya et le tofu. Il me répondit: «Elle en raffole.» Ce que les médecins considéraient comme une intolérance aux produits animaux était en fait une tendance que cette petite fille avait apportée à la naissance.

Les hindouistes donnent à ces tendances le nom de *vasanas* et celui de *samskaras* aux empreintes *karmiques*.

Nous pouvons dès maintenant voir un lien direct entre le corps causal et la réincarnation. J'en reparlerai d'ailleurs dans un autre chapitre. Nous comprendrons alors que chacune des pensées que nous entretenons, chacune des paroles que nous prononçons, chaque action que nous posons aura des répercussions demain, après-demain et après cette vie. Nous préparons aujourd'hui ce que nous vivrons demain. En cela, nous sommes libres.

Si nous saisissons vraiment l'importance du développement de ces véhicules, nous consacrerons chaque instant de notre vie terrestre à nous libérer des chaînes de notre esclavage *karmique*. Cela peut se faire par la mise en pratique du *dharma*, ou loi cosmique.

Nous avons à présent une idée des trois sphères concentriques associées aux trois plans - physique, astral et mental - ainsi que de leurs véhicules. Pour aller au-delà de ces mondes, l'être humain doit franchir la porte de l'initiation. Préparons-nous donc à recevoir cette initiation en appliquant dès aujourd'hui la loi universelle (ou *dharma*).

Selon ses propres actions, selon sa propre conduite,
voilà ce que l'on devient.
Celui qui fait le bien devient bon.
Celui qui fait le mal devient méchant.
On devient vertueux par des actions vertueuses,
mauvais par des actions mauvaises.

Brhad - Aranyaka Upanishad, IV 4.5

LA LOI UNIVERSELLE

KARMA ET DHARMA

Grossières et subtiles, en grand nombre, l'Incarné choisit des formes selon ses propres qualités.

(Svetasvatara Upanishad, V 12)

LE KARMA

Le *Bardo-Thödol*, appelé aussi le *Livre tibétain des Morts*, répète inlassablement que les actes de l'être humain posés de son vivant déterminent son destin dans l'état intermédiaire se situant après la mort, avec la possibilité d'une nouvelle naissance. Les systèmes philosophiques hindous affirment unanimement que les actes entraînent non seulement des conséquences immédiates, mais que leur «potentialité latente» se manifeste ultérieurement, quand les circonstances sont appropriées; car chaque situation est le résultat de sa propre cause. Cet enchaînement causal porte le nom de *karma.*

Pour les hindouistes et les bouddhistes, cette notion de *karma*, ou loi de cause à effet, représente une part importante de leur enseignement; mais qu'en est-il des chrétiens?

Dans l'Évangile selon saint Jean, nous retrouvons ce passage:

> *Jésus dit alors aux Juifs qui avaient cru en lui: «Si vous obéissez fidèlement à mon enseignement, vous êtes vraiment mes disciples; ainsi, vous connaîtrez la vérité, et la vérité vous rendra libres.»*
> *Ils lui répliquèrent: «Nous sommes les descendants d'Abraham et nous n'avons jamais été les esclaves de personne. Comment peux-tu nous dire: Vous deviendrez libres?»*
> *Jésus leur répondit: «Je vous le déclare, et c'est la vérité: tout homme qui pèche est un esclave du péché. Un esclave ne fait pas toujours partie de la famille, mais un fils en fait partie pour toujours. Si le Fils vous libère, vous serez alors vraiment libres.»*
>
> (Jean 8.31-36)

Cette phrase contient à elle seule l'essence même de l'enseignement du Christ: *Si vous obéissez à mes enseignements, vous connaîtrez la vérité, et elle vous rendra libres*.

Mais quelle est donc cette vérité? Et de quoi nous rendra-t-elle libres? Les bouddhistes et les hindouistes donnent l'explication suivante: «Si vous appliquez dans votre vie l'enseignement du *dharma*, qui est la loi universelle, vous vous attirerez les *mérites* ou les conditions qui vous permettront de vous éveiller à la Réalité afin d'atteindre votre libération.»

Et quelle est donc cette famille dont parle le Christ? Cette famille, c'est l'Unité, que l'on peut aussi appeler Dieu, Brahmam ou l'Absolu.

Le fils est celui qui a reconnu son appartenance à cette Unité. Pourquoi est-il dit: «Un esclave n'en fait **pas toujours partie**» et non: «un esclave n'en fait **jamais** partie»? Parce que, ayant oublié son appartenance, celui qui est esclave se comporte comme s'il ne faisait pas partie de la famille.

Nous verrons qu'il y a beaucoup de similitudes entre les textes provenant des *Upanishads* (l'équivalent de la Bible pour les hindouistes), le *Bardo-Thödol* des bouddhistes et les enseignements du Christ dans la Bible des chrétiens.

Selon la doctrine du *karma* de l'*Advaïta Vedanta*, chacun de nous, en tant que *jiva* (l'âme individuelle) appartenant au monde phénoménal, est conditionné et déterminé par son comportement. Ce déterminisme se bâtit au fil de naissances, de morts et de renaissances innombrables. Toute pensée que l'on entretient et toute action que l'on pose aura des répercussions dans la continuité du *jiva*; elle y formera des *samskaras* (empreintes) ou des *vasanas* (tendances) qui deviendront la base des actions futures.

Ces données de l'*Advaïta Vedanta* sont très précieuses pour bien comprendre la façon dont se produisent les réincarnations.

Lorsqu'il est question de naissance, de mort et de renaissance, nous avons tendance à situer ces étapes dans le contexte «d'une vie à l'autre» alors qu'en réalité, la séquence serait «d'un moment à un autre». À chaque instant, en effet, une partie de nous meurt et une autre naît, et cela de façon continue. À titre d'exemple, les cellules de notre corps se renouvellent continuellement. Pouvons-nous dire alors que notre corps est le même d'un instant à l'autre? Non, car si tel était le cas, nous ne changerions pas et ne vieillirions pas.

Il en va de même pour les pensées, les sentiments et les émotions que nous entretenons. Ils changent constamment, de sorte que la personne que nous sommes aujourd'hui n'est plus celle qu'elle était hier et qu'elle n'est pas non plus la même que celle qu'elle sera demain.

Les sages établissent une analogie entre le concept du changement et une rivière en disant: «On ne baigne jamais deux fois ses pieds dans la même rivière.» Ce qui ne veut pas dire que la rivière Richelieu pourrait devenir la rivière Yamaska. Cela suppose plutôt que même si la rivière Richelieu continue de porter le même nom pendant des années, elle ne sera jamais tout à fait la même, car, tout comme nous, elle change continuellement.

Donc, le *karma* se vit d'un moment à l'autre. Cependant, son «potentiel» pourra se manifester ultérieurement, car chaque cause porte déjà en elle son ou ses effets à l'état latent, tout comme une graine d'arbre est un arbre en devenir. Toutefois, les graines ne deviendront pas toutes un arbre; seules celles qui bénéficieront des conditions nécessaires à leur développement y parviendront.

Il en est ainsi pour les *karmas*; ils pourront se manifester:

- **à court terme**, au cours d'une même journée, d'une même semaine ou encore d'une même année;

- **à moyen terme**, au cours de la présente existence;

- **à long terme**, au cours d'une ou de plusieurs existences.

La continuité des *karmas* dépend de l'intensité de l'action posée, de la parole émise ou de la pensée entretenue.

Prenons un exemple de karma ayant des répercussions défavorables: un homme agit en bourreau en battant sa femme et ses enfants.

- Son *karma* à **court terme** pourrait être de souffrir intérieurement et de connaître très peu de joie.

- Son *karma* à **moyen terme** pourrait être de s'attirer un accident et de mourir au milieu de grandes souffrances.

- Son *karma* à **long terme** pourrait consister en ce que son «successeur» naisse dans une famille où il sera battu.

Tu te demandes probablement pourquoi j'utilise le mot «successeur» plutôt que «il». Précédemment, j'ai dit que nous n'étions jamais tout à fait la même personne d'un moment à l'autre. Alors, comment la personne qui naît pourrait-elle être la même que celle qui est morte? Nous approfondirons d'ailleurs cette question dans le prochain chapitre qui porte sur la réincarnation.

Il ne faut cependant pas confondre le *karma* avec la notion de punition, telle que véhiculée par des phrases comme: «Le bon Dieu va te punir.» Non, cette loi de causalité est neutre, en ce sens qu'elle ne punit ni ne récompense; elle n'est que conséquence. Le *karma* peut se comparer à des graines que nous semons par le biais de nos pensées, de nos paroles et de nos actions. Toute bonne semence produit de bons fruits et toute mauvaise semence donne de mauvais fruits. Sachant cela, nous éviterons de nous apitoyer sur notre sort ou de crier à l'injustice. Nous chercherons plutôt à trouver les «graines» semées qui sont à l'origine des situations désagréables se répétant dans notre vie. Nous pourrons ainsi découvrir la raison de notre souffrance et en tirer la leçon appropriée.

Edouard Bach, un très grand médecin à qui nous devons les harmonisants à base de fleurs, disait: «La souffrance est un correctif qui met en lumière la leçon que nous n'aurions pas apprise autrement. Et cette souffrance ne peut être éliminée tant que la leçon n'a pas été apprise.»

Aucune maladie n'est une punition; elle est seulement la conséquence d'une ou de plusieurs causes que nous engendrons ou avons engendrées.

Le Christ savait que la cause est contenue dans l'effet. Lorsqu'il rencontra le paralytique à la piscine de Bethséda, il demanda: «Veux-tu être guéri?» Le malade lui répondit: «Seigneur, je n'ai personne pour me jeter dans la piscine quand l'eau devient agitée et, le temps que j'y aille, un autre descend avant moi.» Selon la croyance de l'époque, un ange descendait de temps à autre dans cette piscine pour agiter l'eau. Celui qui s'y plongeait le premier était guéri, quelle que soit sa maladie.

Connaissant la puissance de la foi, le Christ dit au paralytique: «Si tu peux croire que tu peux guérir, alors lève-toi, prends ton grabat et marche.» Aussitôt, cet homme fut guéri, car il avait cru.

Le paralytique s'en alla en racontant qu'un homme (qu'il ne connaissait pas) l'avait guéri. Le rencontrant dans le temple, le Christ lui donna ce conseil: «Écoute, tu es guéri maintenant; ne pèche plus, de peur qu'il ne t'arrive quelque chose de pire.» (Jean 5.2-14)

Cette loi de causalité ou *karma* n'apporte pas que des effets désagréables puisque toute expérience est une occasion d'évoluer.

C'est probablement ce que le Christ voulait dire par ces paroles: «Cette maladie n'est point à la mort; mais elle est pour la gloire de Dieu.» (Jean 11.4)

Lorsqu'on intègre bien la notion de *karma*, ou loi de cause à effet, on comprend qu'il n'y a pas de hasard ni d'injustice. Après cette longue quête de vérité, j'ai enfin trouvé la réponse à la question que je posais à Dieu à l'âge de treize ans: «Comment peux-tu être juste et bon si tu as permis que je sois accusée injustement? Comment peux-tu être juste et bon si tu donnes la joie aux uns et la souffrance aux autres?»

Plusieurs années après cet incident, j'ai compris la raison pour laquelle je m'étais attirée cette accusation que je considérais comme injuste. Je me suis rappelée qu'à l'âge de douze ans, j'aimais bien m'offrir occasionnellement une sortie au restaurant en compagnie de ma sœur. Comme je n'avais pas d'argent et que je craignais le refus de ma mère, j'allais plutôt en cachette soutirer un dollar de son porte-monnaie qu'elle rangeait dans son sac à main. Ma mère ne s'en est jamais rendu compte. Mais voilà que quelques mois plus tard, j'étais accusée d'avoir volé cinq dollars à mon enseignante (dans le porte-monnaie se trouvant dans son sac à main). Et le sac avait été retrouvé sur les marches de l'église que je fréquentais.

Cet incident aura été responsable de bien des souffrances dans ma vie. Le mal que l'on fait aux personnes qui nous aiment et qui ont confiance en nous attire les pires *karmas*. Ainsi, aucune personne haïssant son père, sa mère ou d'autres personnes ne trouvera la paix et le bonheur. Au cours d'une conférence portant sur ce sujet, j'avais énoncé cette vérité. Une participante exprima son désaccord: «Moi, je déteste ma mère et je n'en suis pas malheureuse pour autant.» Je lui demandai si elle avait des enfants et elle me répondit par l'affirmative. Je repris alors: «Aimerais-tu que, plus tard, l'un de tes enfants te déteste?» Ces paroles la firent réfléchir.

Le pardon est le «maître effaceur» par excellence. Il nous libère de ces enchaînements de cause à effet. Le Christ dit encore à ce sujet: *Je vous le dis, en vérité, tout ce que vous lierez sur la terre sera lié dans le ciel* (corps causal universel), *et tout ce que vous délierez sur la terre sera délié dans le ciel.* (Matt. 18.18)

Donc, toutes les actions posées, tous les sentiments entretenus, tous les liens se rapportant à ce que nous avons refusé ou rejeté auront des répercussions sur ce que nous aurons à vivre. Le fait de connaître cette grande loi pourra nous éviter bien des souffrances. Nous aurons alors le choix de nous créer des *karmas* ayant des répercussions favorables, jusqu'à ce que nous puissions atteindre notre libération, qui se situe au-delà de la causalité.

L'ignorance des lois n'épargne à personne ses effets.

LE DHARMA

Le *dharma* - ou loi universelle - nous indique les vertus à développer pour nous créer de bons *karmas*, donc des *karmas* ayant des conséquences favorables; il précise également ce qui est à éviter pour ne pas subir de répercussions malheureuses.

Ainsi, la personne qui sème l'**amour** et la **compassion** récoltera le **bien-être** et la **connaissance** qui lui permettra d'atteindre l'harmonie et le vrai bonheur par la réalisation de l'Absolu que nous appelons «Dieu». L'amour et la compassion sont donc les plus belles vertus à développer.

Seule la vertu donne du bon karma, et la plus grande des vertus est la compassion.

Bouddha

Il ne faut cependant pas confondre «aimer» avec le fait de s'acheter l'amour des autres en tentant de gagner leur appréciation par mille et une attentions que nous posons à leurs égards.

On pourrait dire que l'amour se présente sous trois aspects essentiels:

- Le premier aspect consiste à s'aimer soi-même, ce qui implique de ne pas attendre l'amour des autres mais de se l'accorder d'abord à soi. Nous ne serons aimés et ne pourrons aimer que dans la mesure où nous nous aimerons nous-même. On ne peut donner ce que l'on n'a pas.

- Le second aspect consiste à aimer les autres comme soi-même; ce qui sous-entend qu'il faut donner aux autres la même importance que nous nous accordons à nous-même. C'est la règle d'or de chacune des grandes religions de ce monde.

  Ainsi, tout ce que vous voulez que les hommes fassent pour vous, faites-le vous-même pour eux (christianisme).

  Ne fais jamais aux autres ce qui n'est pas bon pour toi (judaïsme).

  Faire dans les affaires des autres ce qu'on ferait pour soi-même (hindouisme).

  Le bonheur que l'on désire pour soi-même, on devrait le rechercher pour les autres (bouddhisme).

  Ne souffrez pas que l'un de vous traite son frère de la manière dont il n'aimerait pas être traité lui-même (Islamisme).

- Le troisième aspect, qui est le plus élevé, le seul véritable selon les sages, c'est l'Amour universel.

Tant que nous sommes identifié à un «moi individuel» qui juge, compare, critique, il est impensable, même avec tous les efforts que nous pourrions y mettre, de connaître l'Amour universel. Ce n'est qu'en mourant à ce «moi» séparé et égoïste que nous renaîtrons à notre véritable nature qui est le SOI. C'est alors que notre vision se transformera et qu'il deviendra facile d'ouvrir notre cœur à cet Amour, car nous saurons que «tout ce qui est» est nous. La compassion se manifestera sans effort envers ceux et celles qui souffrent par ignorance de leur appartenance réelle.

La personne qui, à l'inverse, sème la haine et la rancune, récoltera la souffrance, car ces sentiments nous coupent de l'amour. Les pensées de vengeance de même que les paroles ou les actes de violence reviendront se manifester tant et aussi longtemps que nous n'aurons pas intégré l'importance du pardon. Pardonner, c'est poser une action dans le dessein de réunifier ce qui avait été séparé. C'est ce qu'indique le sens profond de cette phrase: *Ce que Dieu a uni, que l'homme ne le sépare pas.*

Appliquée au mariage, cette citation signifie: «L'amour qui vous a conduits à vous unir, gardez-le précieusement. Ne laissez pas votre égoïsme humain le détruire.» Combien de couples n'éprouvant plus d'amour l'un pour l'autre se refusent à vivre une séparation à cause de cette phrase? Ils n'ont pas compris qu'ils sont déjà séparés (désunis), que ce n'est pas le morceau de papier signé devant un prêtre qui fera que leur union sera encore présente.

Le véritable mariage n'a rien à voir avec les conventions ou les traditions. Il est un engagement sincère des époux qui se donnent l'un à l'autre afin de s'aider à atteindre les plus hauts niveaux d'amour et de réalisation.

Les couples réellement mariés sont rares, car de telles unions requièrent la maturité des personnes qui les composent. Les adultes infantiles sont incapables de se donner à une autre personne puisqu'ils ne savent que réclamer.

La personne qui se montre généreuse recevra l'abondance.

La **générosité** manifestée avec amour est une qualité qui s'exprime par la bonté, la tendresse, l'accueil, l'écoute et la compassion.

Le plus beau don que l'on puisse offrir aux autres est de leur donner ce qui peut leur apporter la paix, l'harmonie et le bonheur. En ce sens, les Maîtres disent que le plus beau cadeau que l'on puisse recevoir, c'est la connaissance.

Le don véritable est fait en toute humilité, sans attendre ni reconnaissance ni glorification.

Recevoir, c'est accueillir le don des autres, sans se sentir obligé de le rendre mais en leur laissant la joie de donner. Les orgueilleux sont rarement capables de recevoir. S'ils le font, ils s'empressent de remettre afin de ne rien devoir à personne. Recevoir demande donc également de l'humilité en ce qu'on permet à une personne de se retrouver dans une position supérieure à la nôtre.

Donner, c'est recevoir, et recevoir, c'est donner.

Selon une très belle histoire soufiste, un roi ayant neuf sages à son service leur avait dit un jour: «Comment se fait-il que vous soyez ici depuis des années et que je n'aie rien appris?» Les sages n'osèrent répondre, mais un jeune enfant qui avait été témoin de la scène se mit à rire. Insulté et furieux, le roi lui demanda ce qui le faisait réagir ainsi.

- Je ris parce que je sais pourquoi ils restent silencieux, répondit l'enfant, et pourquoi vous n'avez pu profiter de leur présence.
- Dans ce cas, poursuivit le roi, peux-tu m'apprendre quelque chose, toi?
- Oui, reprit l'enfant.
- Alors, renchérit le roi, enseigne-moi.
- Pour cela, suggéra l'enfant, il faut que vous fassiez ce que je vous demande. Venez vous asseoir à ma place et moi, je m'installerai sur votre trône. Ensuite, vous poserez des questions comme un disciple et non comme un maître.

Le roi comprit la leçon. Il s'assit par terre pendant que l'enfant prit place sur le trône. Il n'eut pas besoin de poser de questions et se contenta de remercier l'enfant en lui touchant les pieds et en disant: «Rien qu'en m'assoyant humblement à tes pieds, j'ai beaucoup appris. Les sages étaient disposés à m'enseigner mais je n'étais pas prêt à apprendre.»

Cette histoire nous fait comprendre l'importance de l'humilité, notamment dans l'acquisition de la connaissance. Celui qui croit tout savoir n'apprend rien. La première leçon que doit intégrer un disciple, c'est donc l'humilité.

Donner demande aussi du discernement, car une trop grande générosité peut cacher une certaine forme de domination, ou encore elle peut empêcher chez l'autre le développement des qualités nécessaires à son évolution.

Que de fois nous voulons à la place de l'autre! Nous cherchons des solutions à ses problèmes, alors qu'il ne nous a rien demandé, ou encore nous prenons la charge de ses difficultés. Nous ne l'aidons pas vraiment par cette attitude, que l'on pourrait comparer au fait de porter sur son dos une personne ayant de la difficulté à marcher. Tant que nous la porterons, elle ne fera pas les efforts nécessaires pour marcher. On ne peut respirer à la place d'une autre personne, pas plus qu'on ne peut intégrer pour elle les leçons qu'elle doit tirer de ses expériences.

Certaines personnes ne savent que demander et prendre. Celles qui se contentent de prendre accumulent des dettes qui les gardent dans un état de pauvreté. Par contre, celles qui donnent constamment amassent, sur le plan causal, des richesses qui se manifesteront sur le plan physique.

> *À vivre misérablement, on devient pauvre. À vivre généreusement l'on devient riche.*
>
> Osho Rajneesh

L'**égoïsme** est le contraire de la générosité, et la personne qui s'y complaît ne récoltera que **solitude**, et parfois **abandon**.

Les deux premiers hommes qui ont partagé ma vie m'accusaient d'être égoïste. Je ne comprenais pas, ne voyant pas comment je pouvais l'être. Il me semblait que je faisais tout pour leur plaire. Dans mon infantilisme, je ne réalisais pas que les gestes que je posais ou les paroles que je prononçais ne visaient qu'à m'attirer ce que je souhaitais recevoir. Cet égoïsme faisait fuir mes partenaires. Me sentant rejetée, esseulée et abandonnée, je finissais par les quitter, en les tenant responsables du manque de joie qui assombrissait ma vie.

L'**avarice**, qui est très près de l'égoïsme, origine de l'instinct de conservation et de la peur de perdre l'objet de son attachement. La personne qui cultive l'avarice récoltera la **limitation**, et elle ne connaîtra pas l'abondance.

Si, lors d'une séparation, l'un des conjoints veut tout garder pour lui, il ne conservera que ce qu'il s'est attribué par avarice, et pas davantage. Par contre, celui qui accepte de se départir de ce qu'il possède recevra plus qu'il n'a cédé. Il en va des biens comme des connaissances. La personne qui a peur qu'on utilise ses découvertes s'empêche de recevoir un surcroît de connaissances.

La personne qui cultive l'**acceptation** des autres ou des situations qui se présentent récoltera la **paix**. L'acceptation des autres consiste à leur donner le droit d'être différents de nous, le droit de penser autrement, d'avoir des désirs qui ne sont pas les nôtres. C'est permettre à l'autre d'être lui-même dans tout ce qu'il manifeste, même si ce n'est pas toujours agréable pour nous.

L'acceptation des situations consiste à dire oui à ce qui est. Par exemple:

- Oui, j'ai cette infection ou cette maladie.
- Oui, la situation n'est pas telle que je l'aurais souhaitée.
- Oui, il pleut aujourd'hui.
- Oui, je n'ai pas été choisie.
- Oui, ma collègue n'est pas de bonne humeur aujourd'hui.
- Oui, mon mari m'a dit quelque chose qui ne m'a pas plu.
- Oui, je suis déçu.
- Oui, j'ai ce compte à payer.
- Oui, je suis congédié.
- Etc.

Dès que nous acceptons une situation, elle n'a plus d'emprise sur nous. C'est lorsque nous la refusons que nous lui donnons le pouvoir de perturber notre paix intérieure. Toutes nos frustrations sont reliées au refus d'une situation. C'est très souvent après avoir totalement accepté une situation que nous en comprenons la leçon.

Si nous pouvions comprendre que tout ce qui arrive a sa raison d'être, nous cesserions de vouloir changer les autres et le monde. Il est d'ailleurs bien utopique de penser pouvoir changer les autres. La seule personne que nous puissions réellement changer, c'est nous-même.

Le monde n'est pas très différent de ce qu'il était il y a deux mille ans. Il est faux de croire que le Christ soit venu sur terre pour racheter les péchés des hommes; si cela avait été le cas, il aurait échoué. Il est plutôt venu nous enseigner comment nous transformer nous-même, afin de nous libérer de la souffrance pour atteindre la **libération** qu'il appelait **vie éternelle**.

Ne pensez pas que je sois venu apporter la paix au monde; je ne suis pas venu apporter la paix, mais le combat.

(Matthieu 10.34)

Dans le bouddhisme, on donne le nom de «vainqueurs» à ceux qui ont atteint la bouddhéité ou la libération. Ce qu'ils ont eu à combattre, ce sont leurs ennemis intérieurs et non extérieurs.

À Tushita, notre érudit professeur ne cessait de nous répéter que dans la voie des combattants, notre pire ennemi était l'ignorance.

Tous les Maîtres enseignent la façon de se transformer soi-même. Sa Sainteté le Dalaï-Lama voyage d'un pays à l'autre pour prôner la paix et l'harmonie œcuménique, mais il ne cherche pas à changer le monde. Il s'adresse à ceux qui ont des oreilles pour entendre et des yeux pour voir.

Avant de faire la paix dans le monde, il faut établir la paix en soi.

Sa Sainteté le Dalaï-Lama

Le refus d'accepter les autres et les situations qui se présentent ne peut que nous conduire à la critique et à la colère. La personne qui s'en nourrit vit constamment dans l'**insatisfaction**, les **déceptions** et la **frustration**.

La critique négative est très destructive. La personne qui l'utilise dans le dessein de démontrer sa supériorité sur quelqu'un d'autre manifeste un complexe d'infériorité. Critiquer son conjoint est l'une des manières les plus efficaces de détruire la plus belle des relations de couple. La critique négative produit exactement le résultat inverse de celui que nous souhaitions obtenir.

Par exemple, si je critique mon conjoint parce qu'il ne verbalise pas beaucoup ses sentiments, mon attitude aura pour effet de le rendre davantage muet. La critique envers nos proches véhicule le message suivant: «Change si tu veux correspondre à mes désirs.»

Tous les conflits que nous vivons avec notre entourage (parents-enfants, époux-épouse, belle-mère-bru, patron-employé) ou avec nos collègues de travail viennent de ce que nous refusons d'accepter les autres et que nous cherchons à les transformer. Nous souhaitons qu'ils soient une copie conforme de nous, qu'ils pensent comme nous, qu'ils aient les mêmes goûts, les mêmes intérêts et qu'ils agissent selon nos désirs et nos attentes.

Les personnes qui ont la critique facile sont portées à juger les autres et à s'adonner au commérage. Les jugements portés ont pour cause l'ignorance. On juge souvent ce que l'on ne connaît pas. Il faut bien connaître une personne, une philosophie ou une situation avant de pouvoir en juger correctement. Tout comme le diamantaire est le seul capable de déterminer la valeur d'un diamant, seule la personne ayant expérimenté une situation sait de quoi elle parle. Du jugement au commérage, il n'y a qu'un pas, qu'il est très facile de franchir. Le mot «commérage» ne se limite pas ici au simple fait de dire du mal des autres mais il englobe également toute conversation inutile concernant les autres.

Tout adepte d'un cheminement spirituel aurait intérêt à remplacer le commérage par le silence. Le silence est un grand instructeur, alors que le commérage ne peut conduire qu'à la calomnie.

> *Ne jugez pas les autres afin de ne pas être jugé. Car l'on vous jugera de la façon dont vous jugez et on utilisera pour vous la mesure que vous employez pour les autres. Pourquoi regardes-tu le brin de paille qui est dans l'œil de ton frère alors que tu ne remarques pas la poutre qui est dans ton œil?*
>
> (Matthieu 7.1)

La personne qui développe la **patience** recevra la beauté. La patience s'exprime par la douceur, le calme et la pondération.

LA PATIENCE

La patience est l'attribut des Sages; c'est l'une des plus belles disciplines spirituelles que nous puissions adopter.

Dans le monde de vitesse où nous vivons, la patience est une qualité de plus en plus rare. On veut la réalisation immédiate de ses désirs, ce qui est un signe d'infantilisme.

En exerçant sa patience devant les petits inconvénients de la vie ou les petites offenses des autres, on habitue sa nature à conserver son calme et on la rend apte à faire face aux plus grandes épreuves.

Lorsque nous nous impatientons devant la moindre contrariété, nous perdons nos énergies vitales et nous affaiblissons notre organisme. Il nous faudrait plutôt développer d'autres qualités telles que la persévérance, l'endurance, la volonté et la maîtrise de soi.

Toute grande œuvre a nécessité de la patience et de la persévérance. Pour qu'une réalisation s'accomplisse, dans quelque domaine que ce soit, il faut s'y investir totalement, en avançant étape par étape. Rares sont les personnes qui deviennent pianistes en n'y consacrant qu'une heure par semaine. Pour atteindre son objectif de réalisation personnelle, il faut s'engager dans un cheminement impliquant une vigilance de tous les instants.

L'**impatience**, quant à elle, vient du refus d'accepter les circonstances telles qu'elles sont; elle peut nous conduire à la **colère**. La colère contracte les muscles du visage et leur enlève leur souplesse, alors que la paix intérieure détend les traits et rend le visage rayonnant. C'est ce qui explique que les gens calmes embellissent et que les personnes impatientes, irritables ou colériques enlaidissent avec les années.

La personne qui développe la **persévérance** atteint ses objectifs. La persévérance va de pair avec la patience; elle représente le secret de la réussite.

Il y a bientôt sept ans, je disais aux personnes qui étaient à mes côtés que je donnerais un jour des conférences en Europe et que des thérapeutes de notre Centre iraient même y animer des ateliers. Cette idée emballa mon groupe, qui aurait souhaité que cette prévision se concrétise très rapidement. Ce ne fut pas le cas, car durant l'année qui a suivi, nous avons dû faire face à beaucoup de difficultés. Mais après avoir persévéré et traversé des épreuves de taille, la prévision s'est enfin réalisée six ans plus tard.

Cependant, comme bien des gens, je me demandais pourquoi je finissais toujours par obtenir tout ce que je désirais sur le plan matériel alors que j'échouais lamentablement sur le plan affectif.

J'ai eu le bonheur de connaître une personne merveilleuse qui est devenue ma première thérapeute au Québec. Elle possédait de très belles qualités, mais je dois avouer que sur certains points, nous étions aux antipodes. Elle avait le sens de l'organisation qui me manquait, quoique celui-ci fût teinté d'une certaine rigidité. Moi, par contre, j'avais la souplesse qui lui faisait défaut mais j'étais dispersée et indisciplinée. Inutile de préciser qu'en sa compagnie, j'avais l'impression de marcher sur des œufs, alors que, de son côté, elle craignait que ma présence la rende folle. À certains moments, des discussions surgissaient où la colère se pointait. Pourtant, je ne pouvais me résoudre à la congédier. Elle a fini par faire preuve de souplesse et par m'accepter avec mon indiscipline et ma dispersion.

Quant à moi, je suis arrivée à comprendre que mon indiscipline était reliée au fait que je rejetais toute forme d'autorité, que je percevais comme dominatrice et écrasante. Je me suis également rendu compte de l'importance de l'autodiscipline pour atteindre la maîtrise. Et c'est ce que j'ai fait. Ce qui m'a soutenue, c'est l'amour qui nous unissait, ma thérapeute et moi, et qui nous a permis de traverser les difficultés placées sur notre route. Aujourd'hui, cette femme est l'une de mes meilleures amies et confidentes.

Plus tard, lorsque j'ai dû affronter des problèmes de couple avec Richard, mon expérience avec elle m'a aidée à surmonter cette période trouble. Je me disais: «Cela a été difficile avec Gina au début, mais maintenant, nous sommes de grandes amies; pourquoi n'en serait-il pas ainsi avec Richard?» Une fois la tempête calmée, je compris ce que toutes ces difficultés avaient à m'apprendre. L'amour et la persévérance eurent de nouveau raison du problème. Richard est maintenant mon grand ami, en plus d'être mon époux et mon complice, et nous nous aimons énormément. Par le passé, j'aurais quitté le bateau pour un orage de moindre importance.

Les ennemis de la persévérance sont l'indolence, le pessimisme et le découragement; ils sont responsables de l'échec vis-à-vis des objectifs à atteindre et du fait de se retrouver constamment face à des situations exigeant des efforts.

L'ABANDON

La personne qui pratique l'**abandon** acquerra la **foi.**

On raconte qu'un homme très religieux racontait à qui voulait l'entendre combien sa foi était grande. Un jour, il tomba dans un précipice mais, dans sa chute, il réussit à s'accrocher à la branche d'un arbre. Craignant pour sa vie, il appela à l'aide: «Mon Dieu, aide-moi, je t'en prie!» Une voix venue d'on ne sait où lui dit: «As-tu la foi?» Il répondit: «Oui, Oui!» La voix ajouta: «Si tu as la foi, alors lâche ta branche!» Levant la tête vers le ciel, l'homme supplia: «Y a-t-il quelqu'un d'autre, là-haut, pour m'aider?» Après des heures suspendu à sa branche, épuisé et les bras endoloris, il se résigna: «Mourir maintenant ou après quelques heures supplémentaires de souffrance. De toute façon, je vais mourir.» Il lâcha donc la branche, pour se retrouver... un mètre plus bas!

L'abandon consiste à lâcher prise et à s'en remettre à des personnes compétentes ou encore à notre Maître intérieur pour nous guider vers la réponse ou la solution appropriée. Tant que nous n'abandonnons pas le contrôle, nous demeurons accroché à notre problème.

Lorsque nous avons expérimenté cet abandon et réalisé comment tout s'arrange bien par la suite, il devient plus facile d'avoir la foi quand une situation semblable se présente de nouveau. Mes deux voyages en Inde ont été remplis d'expériences d'abandon qui ont contribué à développer ma foi. La foi est le meilleur antidote contre la peur.

La personne qui cultive le **doute** ou la **peur** récolte l'**anxiété**.

Reconnaissant le pouvoir de la foi, le Christ affirmait: *Si quelqu'un dit à cette montagne: «Ôte-toi de là et jette-toi dans la mer», et s'il ne doute pas dans son cœur, mais croit que ce qu'il dit arrivera, cela arrivera pour lui.* (Marc 11.23)

Il disait aussi: *Laissez venir à moi les petits enfants, et ne les empêchez pas; car le royaume de Dieu est pour ceux qui leur ressemblent.* (Marc 10.14)

Dans ce contexte, ressembler à un enfant ne signifie pas que l'on doive devenir infantile, mais plutôt qu'il faut avoir le cœur ouvert, qu'il faut être prêt à recevoir et à accepter de vivre des expériences libres de doute, de méfiance et de jugements trop rapides. Le doute et la peur bloquent en nous l'élan naturel qui nous porte à avancer vers de nouvelles expériences. Si la peur devient trop intense, ces blocages se manifestent dans notre corps physique, sous forme de malaises et parfois de maladies[1]. Le mal de jambes, par exemple, résulte souvent de la peur d'avancer, alors que le mal de dents est fréquemment associé à la peur d'obtenir des résultats défavorables. Nous attirons ainsi dans notre vie ce que nous craignons le plus. Une peur entretenue forme en effet, comme nous l'avons déjà vu, une matrice astrale qui se manifeste sur le plan de la matière physique.

L'APPRÉCIATION

La personne qui manifeste son **appréciation** recevra plus que ce qu'elle a déjà.

Lorsqu'on ne peut être heureux de ce que l'on a, on finit par voir seulement ce qui nous manque. C'est ainsi qu'on en arrive à envier ou à jalouser les autres. Par contre, lorsque nous apprécions chaque petite chose que nous possédons ou chaque geste d'attention posé à notre égard, nous nous sentons comblé. Dans cet état d'être, nous attirons vers nous encore plus de bienfaits, ce qui nous procure un sentiment de plénitude.

La plénitude totale se réalise lorsqu'on ne désire plus rien, lorsqu'on n'a besoin de rien et qu'on remercie pour tout. On ne peut

1. Pour en savoir davantage sur le sujet, consultez *Participer à l'Univers, sain de corps et d'esprit*, chap. XI, «Les maladies reliées à la peur».

goûter ce bien-être si l'on regrette ce qu'on avait par le passé et si l'on s'inquiète pour le futur.

L'envie et la jalousie concernant le bien d'autrui témoignent du mécontentement vis-à-vis ce que nous possédons ou ce que nous sommes. Cultiver ces sentiments ne nous fera pas obtenir ce que nous désirons. Pire encore, nous risquons de perdre ce que nous avons déjà, ce qui nous fera comprendre l'importance de l'appréciation. La meilleure façon d'obtenir les mêmes choses que les autres possèdent est de se réjouir pour eux, et même de leur souhaiter encore mieux.

LE DISCERNEMENT

La personne qui fait preuve de **discernement** développera la **sagesse.**

> *Le royaume des cieux est semblable à un homme qui a semé une bonne semence dans son champ. Or, pendant que les gens dormaient, son ennemi vint, sema de l'ivraie parmi le blé et s'en alla.*
>
> (Matthieu 13.24-25)

Quand on demanda au propriétaire s'il fallait enlever la mauvaise herbe, il répondit *Non*, car on aurait risqué d'arracher aussi le blé. L'homme de la parabole dit plutôt d'attendre la moisson (selon Matt. 13.26-30).

Pour séparer le bon grain de l'ivraie, il nous faut utiliser le discernement, et celui-ci ne s'acquiert que par l'expérience. Seule la personne qui a emprunté plusieurs voies différentes pour se rendre à un endroit est en mesure d'affirmer laquelle est la plus directe. C'est l'expérience qui apporte la certitude. Tant que nous n'avons pas vécu une situation, nous sommes incapables d'en discuter; cependant, lorsque nous l'avons intégrée, nous savons ce qu'il en est.

Ayant connu les extrêmes, le Bouddha Shakyamouni a prôné la voie du juste milieu. Il disait: **«La vérité ne relève pas du savoir**

et elle ne peut non plus être enseignée, elle ne peut qu'être vécue et expérimentée.» Un disciple lui demanda alors: «Tu dis que la vérité ne s'enseigne pas. Alors, à quoi servent tous tes discours?» Bouddha répondit: «Il est vrai que la vérité ne peut être enseignée, cependant, je peux, à travers mes discours, vous donner la motivation de la chercher, ou encore vous faire prendre conscience de ce besoin, présent en vous, mais que très souvent vous réprimez par peur de vous abandonner à l'inconnu. Et c'est justement cette peur qui vous empêche de goûter au nectar de la connaissance.»

LE COURAGE

La personne qui cultive le **courage** recevra la **force** de vaincre toutes les difficultés.

Les personnes courageuses ne s'apitoient pas sur leur sort. Elles mettent en pratique l'expression «prendre son courage à deux mains». Elles savent relever un défi, même quand la situation est difficile.

Ma mère fut mon plus bel exemple de courage. Elle était veuve, avec huit enfants à sa charge, mais nous n'eûmes jamais à demander la charité, car ma mère travaillait très fort pour que nous soyons bien logés, bien nourris et bien vêtus. Aujourd'hui, elle a plus de soixante-douze ans et elle jouit d'une excellence santé. Son karma à court terme se manifeste par sa santé florissante, mais également par le fait qu'elle peut bénéficier d'une existence des plus confortables, grâce à des résidences situées dans des régions qui lui permettent de profiter à l'année longue d'un climat agréable en compagnie d'un très charmant compagnon de vie.

Les personnes qui font des efforts louables en récoltent toujours les mérites un jour ou l'autre. La vie peut se comparer à une longue rivière qu'il faut traverser. Pour avancer sur cette rivière et affronter certaines embûches, il nous faut du courage. Plus nous en déployons, plus nous y gagnons en force, en confiance et en foi. À l'inverse, si nous nous apitoyons sur notre sort, nous perdrons cette force qui nous est nécessaire pour faire face aux problèmes. Quand le courage n'est plus, tout est perdu.

Les personnes qui ne cultivent pas le courage s'effondrent devant la moindre épreuve, ou ils fuient dans la maladie, l'alcool, la drogue et parfois le suicide. Elles ne savent pas qu'en agissant de cette façon, elles s'attirent continuellement des difficultés afin de pouvoir développer leur courage.

La **paresse**, qui est une proche parente de l'apitoiement, conduit la personne qui la cultive à devoir continuellement **faire des efforts** pour obtenir des résultats. Rien ne lui sera donné facilement. Si sa paresse est physique, il lui faudra beaucoup travailler pour atteindre ses objectifs. Si elle est mentale, il lui faudra fournir de nombreux efforts pour comprendre les choses.

LA CUPIDITÉ

La personne qui cultive la **cupidité** demeurera toujours **insatisfaite** de sa vie.

La cupidité se traduit par la soif d'obtenir toujours plus: plus de pouvoir, plus de richesses, plus de luxe, plus d'honneurs, plus de sécurité, plus de gratifications, plus de satisfactions personnelles, plus de connaissances, etc.

C'est cette cupidité qui a éloigné l'être humain de sa véritable nature et qui l'a fait privilégier le concept **avoir** plutôt que **être**. L'humain a ainsi perdu sa pureté originelle, sa simplicité, sa spontanéité et sa sérénité. À l'époque du Christ, les gens vivaient beaucoup dans la cupidité, ayant oublié leur véritable nature. Le Christ leur a dit:

> *À quoi servirait à l'homme de gagner le monde entier s'il perdait sa vie*[1]*? Y a-t-il quelque chose qu'un homme puisse donner pour racheter sa vie?*
>
> (Matthieu 16.26)

La séduction, qui est une manifestation de la cupidité, empêche la personne qui la pratique d'avoir une vie de couple harmonieuse,

1. Nous verrons dans un prochain chapitre ce que signifie «la vie» pour le Christ.

car ce désir de conquérir l'autre n'aboutit que sur des relations éphémères.

L'HUMILITÉ

La personne qui cultive l'**humilité** recevra les **honneurs**.

Le plus grand parmi vous sera votre serviteur. Quiconque s'élèvera sera abaissé et quiconque s'abaissera sera élevé.
(Matthieu 23.11-12)

Celui qui impose à un autre la tâche de travailler pour lui aura pour rétribution l'esclavage; celui qui s'impose la tâche de travailler pour autrui aura pour récompense le pouvoir.
Shantideva, *La marche vers l'éveil*

La vanité s'exprime par un désir désordonné d'être remarqué, approuvé ou louangé par les autres. La personne qui s'en nourrit finira par perdre l'estime qu'elle aurait pu espérer en plus de se voir continuellement refuser la reconnaissance de ses mérites.

LE KARMA ET SES RÉPERCUSSIONS

Nous sommes à même de constater que chacune des vertus et chacun des vices que nous cultivons porte des fruits appelés *karmas*. D'où l'expression *On récolte ce que l'on sème*.

Ces *karmas* sont comparables à un caillou qu'on lancerait dans un étang. De son point de chute partiront des ondes qui s'éloigneront graduellement jusqu'à atteindre le rivage, puis elles reviendront graduellement vers leur point de départ, pour repartir de nouveau vers le rivage, et ce, jusqu'à épuisement de l'énergie.

Plus la pierre lancée sera grosse, plus les ondes formées seront intenses, et plus l'énergie aller-retour sera amplifiée. C'est ce qui explique que les *karmas* peuvent se manifester à court, à moyen ou à long terme, selon l'intensité de leurs résonances.

Par exemple, si une personne ressent de la colère vis-à-vis de son père, ce sentiment aura un impact moindre que si elle le tuait.

Les quatre actions qui entraînent le plus de souffrance et qui sont les plus réprouvées du point de vue moral, sont: le meurtre, le vol, l'adultère et le mensonge.

Toutefois, même pour les actions les plus répréhensibles, la durée du *karma* dépendra de quatre facteurs. Si ces quatre facteurs sont réunis, il y aura alors, selon l'enseignement bouddhique, un *karma accompli*, lequel aura des répercussions à court, à moyen et à long terme. Les facteurs qui influencent la durée du *karma* sont:

- L'intention (ou la motivation) d'agir;
- La connaissance (savoir ce que l'on fait, connaître la personne que vise notre intention);
- L'action;
- Le réjouissance après avoir posé le geste.

Supposons un homme qui en veut à un autre et qui planifie son assassinat (intention). Il va le retrouver chez lui (connaissance) et le tue (action). Il est ensuite heureux de ce qu'il a fait (réjouissance).

Son *karma* pourrait être le suivant:

- à court terme: d'être emprisonné;
- à moyen terme: d'être tué à son tour;
- à long terme: de naître dans un pays en guerre, de mourir très jeune, etc.

LE MEURTRE

Tuer signifie «ôter la vie». Mais ce mot a cependant un sens beaucoup plus large que l'assassinat. Tout dépend donc des quatre facteurs qui sont en cause dans l'action de tuer. Par exemple, un père tue son enfant accidentellement. Quelles seront les répercussions *karmiques* de cette action?

On pourrait se demander pourquoi cette tragédie est arrivée à cet homme et à son enfant. Le père avait peut-être un profond sentiment de culpabilité à libérer; c'est ce qui expliquerait qu'il se soit attiré cet accident qui le fera se sentir extrêmement coupable. L'enfant, lui, avait probablement à vivre une vie écourtée. Ici, un seul facteur est présent: l'action. L'intention n'y était pas. La seule conséquence *karmique* pour le père sera de vivre avec ce sentiment de culpabilité dont il devra s'affranchir afin de retrouver le bien-être et la paix intérieure. Il y parviendra s'il comprend et accepte que cet accident était inscrit dans les empreintes *karmiques* de son fils et que lui-même portait déjà en lui ce sentiment de culpabilité avant l'accident.

Prenons un autre exemple. Une personne est agressée et, en se défendant, elle tue son agresseur. L'intention n'y était pas, car, avant son agression, cette personne n'avait pas projeté de tuer qui que ce soit. Il n'y avait pas de connaissance non plus puisqu'elle ne voulait pas faire de mal. Cependant, elle est passée à l'action: elle a tué mais elle ne s'en réjouit pas. Ici encore, un seul facteur est présent (l'action). Si la personne regrette d'avoir tué son agresseur, elle annulera en partie les répercussions défavorables de son geste.

De nouveau, on pourrait se demander pourquoi cette personne a été agressée. Peut-être qu'elle nourrissait la peur d'être agressée, ou encore portait-elle les empreintes d'une personne en ayant déjà agressé une autre. La meilleure attitude à adopter serait d'accepter qu'elle avait quelque chose dont elle devait se libérer. En intégrant la leçon, en se pardonnant d'avoir posé ce geste et en pardonnant à son agresseur, elle se libérera.

Poursuivons notre réflexion avec un cas d'avortement planifié par la mère. Quelle était l'intention ou la motivation de cette femme? Si ses conditions de vie avaient été idéales, aurait-elle eu recours à l'avortement? Fort probablement non, son intention n'étant certes pas de tuer un enfant. Cependant, elle connaît la portée de son choix et décide de passer à l'action. Le quatrième facteur, celui de la réjouissance, n'est pas présent. Rares en effet sont les femmes qui se réjouissent d'avoir subi un avortement.

Ici, seulement deux facteurs sont présents (connaissance et action); car cette femme n'avait pas prémédité de devenir enceinte pour ensuite se faire avorter. Il ne s'agit donc pas de ce que l'on appelle un *karma accompli.* L'acte posé aura cependant des répercussions. Il est possible que cette femme arrive difficilement par la suite à devenir enceinte lorsqu'elle le désirera. Dans le cas d'une femme qui aurait eu plusieurs avortements, elle pourrait s'attirer comme conséquence d'être incapable d'avoir des enfants. (Il ne s'agit ici que d'une possibilité. Une même action peut avoir des conséquences très différentes d'une personne à l'autre.)

Je parle de la mère, mais le père a également sa part de responsabilité dans cet acte. Il en ressentira lui aussi les répercussions, s'il est concerné, bien entendu. Supposons qu'une femme se fait avorter sans le dire au père. N'ayant pas été informé du choix que la femme a fait, cet homme ne se crée pas de *karma.*

Tuer ou enlever la vie concerne aussi celle des animaux. Encore là, la motivation sera déterminante.

Tuons-nous pour survivre?
Tuons-nous pour la satisfaction de nos besoins?
Tuons-nous pour le plaisir?

Tuer pour survivre n'apporte pas de *karma* défavorable.

> Il existe une légende selon laquelle, au début des temps, les animaux acceptaient de donner leur vie pour que l'être humain puisse poursuivre son évolution. Ils étaient même heureux de le faire. Quand un chasseur tuait un animal, il lui demandait pardon de prendre sa vie et le remerciait de lui donner sa chair pour qu'il puisse survivre. Mais, avec le perfectionnement de la technologie agricole, les hommes n'eurent plus besoin de tuer autant d'animaux. Ils en firent un sport. Le monde animal réuni en conseil spécial décréta alors qu'à partir de ce moment, la chair des animaux tués dans un but autre que la survie donnerait la maladie aux hommes. Des végétaux qui avaient entendu la conversation trouvèrent le châtiment bien sévère. Aussi firent-ils au règne animal cette contreproposition: «Nous acceptons que vous donniez la maladie, mais nous, nous leurs accorderons la guérison.»

Comme l'animal a une vie plus longue que la plante et qu'il se reproduit moins rapidement, il est préférable d'écourter la vie des plantes plutôt que celle des animaux. Par ailleurs, les plantes étant composées d'une plus grande proportion d'eau, elles n'alourdissent pas autant notre corps que la chair des animaux. Quel que soit l'aliment consommé, nous devrions toujours avoir des pensées de gratitude envers l'animal ou la plante qui nous a donné sa vie.

Si nous arrivons à consommer moins de viande dans le dessein d'épargner des vies animales, notre comportement ne pourra que nous créer de bons *karmas.*

Un autre facteur militant en faveur d'une réduction de notre consommation de chair animale est le traumatisme émotionnel subi par l'animal dans les moments précédant sa mort et qui imprègne sa chair. S'il a eu très peur ou s'il a vécu de la colère, le corps subtil de la personne qui s'en nourrira absorbera les réactions négatives de l'animal.

Qu'en est-il du métier de boucher?

Il y a des abattoirs où l'animal est tué avec respect, comme il y en a d'autres où tel n'est pas le cas.

Si l'animal est tué avec respect, c'est-à-dire en cherchant à minimiser ses souffrances, il n'y aura pas de *karma* négatif. Surtout si le boucher a des pensées d'amour et de gratitude pour l'animal qui donne sa vie. Ce qui entraîne des *karmas* négatifs, c'est le manque de respect envers l'animal tué, la souffrance qu'on lui inflige inutilement, pour sa propre satisfaction.

> Il y avait, dans un petit village, un éleveur de cochons. Lorsque venait le temps de tuer une bête, l'éleveur-boucher l'attachait par les pattes et la suspendait à l'envers. Avec un bâton, il la frappait pour lui briser les veines afin que le sang pénètre dans sa chair. Tout le village entendait les gémissements de ces pauvres cochons qui mouraient au bout de leur sang, après d'atroces souffrances. Vers la fin de sa vie, cet homme fut atteint d'une très grave maladie qui le faisait

énormément souffrir. Aucun médicament n'arrivait à le soulager, et tous les villageois entendaient ses cris de douleur, et, à travers eux, les cris de ses cochons.

J'ai eu en thérapie un jeune diabétique. Il m'avoua que chaque fois qu'il se piquait pour vérifier sa glycémie, il pensait, en voyant perler la goutte de sang, à un oiseau qu'il avait tué des années auparavant, bien avant qu'apparaissent les premiers symptômes de son diabète. Il avait traqué cet oiseau et l'avait tué avec un bâton.

Que penser des chasseurs?

Le quatrième facteur entraînant des *karmas* défavorables est la réjouissance.

J'ai demandé à certains chasseurs ce qu'ils appréciaient le plus dans une partie de chasse. La plupart m'ont répondu que c'était le fait de se retrouver entre amis dans la forêt, de vivre un peu comme leurs ancêtres dans la simplicité des bois. C'est très bien, mais nous n'avons plus les mêmes besoins que nos ancêtres. Alors, pourquoi ne pas échanger son fusil contre une caméra vidéo pour devenir des chasseurs d'images? Au lieu de ramener la tête d'une pauvre bête traquée, ils rapporteraient une belle vidéocassette à visionner en famille ou avec des amis pour leur faire découvrir la beauté d'un animal en liberté.

Le chasseur qui vit en ignorant les répercussions de ses actes doit se pardonner et s'excuser auprès du règne animal pour toutes les bêtes qu'il a tuées. Mais il devra cependant renoncer à cette folie qui pourra lui attirer bien des souffrances. Qui sait, peut-être sera-t-il, dans une prochaine incarnation, un animal traqué et abattu? (Cette hypothèse peut te surprendre, et je l'expliquerai un peu plus loin.) La vie continue, sous une forme ou sous une autre.

En définitive, nous devrions nous abstenir de détruire quelque vie que ce soit, y compris les insectes. Si on est ennuyé par ces bestioles dans notre maison, mieux vaut leur parler et leur dire gentiment de se trouver un autre endroit pour folâtrer. On peut également les sortir à l'extérieur sans les tuer.

Il y a plusieurs années, au cours d'un séminaire avec le docteur Baierle, celui-ci nous avait suggéré de parler aux mouches et aux insectes. Cela m'avait fait sourire sur le moment. J'ai quand même tenté l'expérience, même si je doutais de son efficacité. Depuis ce jour, j'ai rarement été incommodée par des mouches ou des insectes à la maison, bien que j'habite en pleine nature, à la montagne.

Qu'arrivera-t-il à ceux qui se suicident?

La personne qui se suicide a probablement refusé l'aide qu'elle aurait pu obtenir; elle a choisi la fuite. Peut-être s'est-elle laissée entraîner dans le gouffre du désespoir sous l'influence des basses fréquences vibratoires auxquelles elle s'était syntonisée.

Beaucoup de personnes ont vécu le drame du suicide de l'un des leurs. Ces personnes avaient à apprendre à se détacher de la souffrance des autres. Ce qui ne signifie pas qu'il faille être indifférent mais d'accepter que les épreuves rencontrées par les autres sont nécessaires pour les leçons qu'ils ont besoin d'intégrer. Le suicide n'est qu'une expérience parmi tant d'autres.

L'être qui met volontairement fin à ses jours dans le plan physique poursuivra son cheminement dans le plan astral. Il vivra encore les émotions qui l'avaient poussé à fuir. Lorsqu'il en aura assez, il demandera de l'aide et puisera le courage nécessaire pour quitter cette situation pénible.

Le mieux que nous puissions faire pour ces personnes est d'accepter leur choix et de leur envoyer nos plus belles pensées d'amour pour que naisse en elles le désir de quitter ce monde de souffrance.

LE VOL

La seconde action qui entraîne des conséquences très défavorables est le vol - qui signifie «prendre ce qui n'est pas à nous». Cette action peut nous faire perdre ce que nous possédons et même nous conduire à la pauvreté.

Encore ici, il faut tenir compte des mêmes facteurs que précédemment, soit: l'intention, la connaissance, l'action et la réjouissance.

Si une mère vole de la nourriture pour son enfant, on peut dire que son geste n'est pas égoïste. Cependant, elle subira quand même des répercussions plus défavorables que si elle avait mendié. Dans les pays pauvres comme ceux d'Amérique du Sud, il y a beaucoup d'enfants qui volent pour survivre. Il n'en demeure pas moins qu'ils s'attirent de continuer à vivre dans des conditions de manque et de pauvreté.

Tout ce que nous prenons sans l'avoir gagné par de justes efforts, nous devrons le rendre avec intérêts.

L'HISTOIRE DE L'ÉPICIER ET DE L'ENTREPRENEUR

Un homme qui gérait une épicerie-boucherie avait dissimulé, sur la balance, un poids qui s'ajoutait aux produits pesés de façon à en augmenter le prix. Après quelques années d'opérations, il fit faillite et perdit tout ce qu'il avait investi dans son commerce. Un entrepreneur faisait payer à ses clients des matériaux qu'il utilisait pour sa propre maison. Après quelques années de ce petit manège, il dut se chercher un autre emploi.

L'ADULTÈRE

L'adultère est la troisième action réprouvée. Quand un être trahit la personne qui lui a accordé sa confiance, que cette duperie soit connue ou pas, il en vit du remords. En s'accusant, il s'attire une situation de souffrance qui pourrait consister à perdre l'amour de la personne qu'il a trompée ou encore à contracter une maladie transmissible sexuellement.

Une femme fiancée à un homme qu'elle aimait cultivait un petit côté séducteur qui flattait son amour-propre. L'année précédant son mariage, elle eut quelques aventures sexuelles sans lendemain, mais son fiancé n'en sut rien. Quelque temps avant leur mariage, elle rendit visite à son fiancé sans le prévenir et elle le trouva au lit avec une autre femme. Ce coup au cœur brisa tous ses rêves.

LE CAS DE LÉO

Bien qu'aimant beaucoup sa femme, Léo ne ratait jamais une occasion de vérifier sa popularité auprès des dames. Inoffensif au début, son jeu de séduction l'entraîna progressivement dans une aventure amoureuse. Tiraillé intérieurement, il avoua sa liaison à sa femme en lui jurant qu'il l'aimait encore et qu'il ne voulait pas la quitter. Son épouse encaissa difficilement le coup; puis elle eut à son tour des relations extra-conjugales, à la fois pour se venger, mais aussi parce que, inconsciemment, en s'autorisant cette liberté sexuelle, elle acceptait plus facilement celle de son mari. Elle pensait qu'ainsi, elle pourrait sauver son mariage.

Après quelque temps de ce petit jeu, Léo quitta sa maîtresse et se rapprocha de sa famille, qu'il voyait grandir avec satisfaction. Sa femme, d'un naturel honnête, fut incapable de garder son secret et avoua à son mari qu'elle avait eu des amants. Léo s'effondra. Jamais il n'aurait pensé que le fait d'être trahi par la personne qu'il aimait le plus et en laquelle il avait une confiance totale pouvait lui faire aussi mal.

Il y a un prix à payer pour toute forme d'infidélité. C'est très souvent de ne pas connaître une vie de couple réussie ou de se retrouver séparé des êtres qu'on aime.

> *Sois sincère envers toi-même et il s'ensuivra, comme le jour suit la nuit, que tu ne pourras qu'être sincère envers tout homme.*
>
> Shakespeare

LE MENSONGE

Mentir signifie «ne pas dire la vérité». Le mensonge, comme les autres actions répréhensibles, est assujetti aux mêmes quatre facteurs.

L'HISTOIRE D'ANNETTE

Annette donnait des cours sur l'art de vivre en harmonie avec les autres. À plusieurs reprises, elle citait des exemples tirés de sa vie de couple. Vers la fin d'une session (qui s'étalait sur plusieurs semaines), un participant découvrit ce qu'elle n'avait pas révélé. Il lui demanda devant tout le groupe comment elle pouvait se donner en exemple alors qu'elle était séparée depuis quelques années et qu'elle vivait seule. Annette se justifia en disant qu'elle croyait profondément à ce qu'elle enseignait mais qu'elle n'avait pas voulu révéler sa situation, de crainte d'affecter les participants au cours.

Annette n'avait pas d'intention malveillante envers qui que ce soit; mais son manque de franchise lui a fait perdre la confiance du groupe. Il aurait été préférable pour elle de dire la vérité dès le début.

Il est difficile d'accorder sa confiance à une personne qui n'est pas franche. Toutefois, lorsqu'on connaît les motifs qui l'ont poussée à mentir, on peut la comprendre et lui pardonner.

Dans la plupart des cas, il vaut mieux de dire la vérité, mais ce n'est pas une règle absolue. Supposons qu'en nous promenant dans la forêt par un beau dimanche après-midi, nous voyions passer un magnifique chevreuil. Des chasseurs arrivent en courant et nous demandent dans quelle direction l'animal est parti. Mentir, dans de telles conditions (pour sauver la vie de l'animal) ou s'abstenir de dire la vérité pour éviter de faire du mal inutilement peut avoir des répercussions *karmiques* positives.

Le Maître Tenzin Choedrak signalait: «Si en disant quelque chose, vous risquez de faire du mal à quelqu'un à court terme, mais du bien à long terme, alors faites-le; mais si vous devez lui faire du mal à long terme, alors ne le faites pas.»

PAR QUELS MOYENS POUVONS-NOUS NOUS LIBÉRER DE NOS KARMAS DÉFAVORABLES?

- ***Par l'acceptation***

En acceptant que la cause des situations difficiles ou douloureuses que nous rencontrons ou que nous avons vécues est en nous: vol, faillite, accident, maladie, viol, etc. Ce qui ne signifie pas que c'est notre faute, mais plutôt que nous nous sommes attiré cet événement afin d'intégrer une leçon essentielle à notre évolution. Il peut s'agir d'un pardon à accorder, d'une culpabilité à s'affranchir, d'un détachement à réaliser, etc.

- ***Par l'ouverture***

En nous ouvrant, afin de comprendre l'enseignement à tirer de cet événement ou de cette situation malheureuse. Je parle d'ouverture plus que de recherche, car lorsqu'on veut trop comprendre, on n'y arrive pas. Mieux vaut s'abandonner et se laisser instruire. Quand nous serons prêts, nous attirerons inévitablement la réponse que nous cherchions, par un livre ou un article que nous aurons lus, par une rencontre que nous avons faite, etc.

- ***Par le pardon***

En pardonnant à ceux qu'on a tenus responsables de notre souffrance et en se pardonnant pour celle que nous avons pu faire vivre à une ou à d'autres personnes.

Quand on a compris que les êtres sont en perpétuel changement, il devient absurde d'en vouloir à la personne qui nous a blessé, car celle-ci n'est plus la même qu'au moment de l'offense. En lui pardonnant, on se libère, car la haine et la rancune nous enchaînent, d'un moment à l'autre et d'une vie à l'autre.

Il est tout aussi important de s'accorder le pardon à soi-même, et avec la même compréhension, en ayant à l'esprit que nous ne sommes plus la même personne qui, sous l'effet de la colère, de la souffrance ou de l'ignorance, en a blessé une autre.

Jésus a confié à ses apôtres le pouvoir de pardonner les péchés des fidèles. Au début, le pardon ne pouvait être accordé que si, en toute conscience, le pénitent regrettait ses fautes et prenait l'engagement de faire son possible pour les éviter à l'avenir. Au cours d'un dialogue s'apparentant à l'«écoute», le ministre du culte s'assurait des bonnes dispositions spirituelles du pénitent avant de lui accorder l'absolution au nom du Christ. Ensuite, il lui imposait une pénitence: récitation d'une prière, jeûne, aumône. Cependant, si cela était possible, la réparation du préjudice était recommandée.

On voit très bien la similitude qui existe entre le sacrement de pénitence et la démarche à entreprendre pour se libérer de ses *karmas*.

Lorsque j'étais enfant, nous devions aller nous confesser tous les premiers vendredis du mois. Comme tant d'autres, je me demandais bien de quoi j'allais m'accuser. Aussi je m'accusais toujours des mêmes fautes: mensonge, impolitesse, etc. Comme on ne nous expliquait pas les répercussions bénéfiques de cet exercice sur notre vie, nous n'en comprenions pas l'importance.

Le recours à un confesseur ne peut être imposé. Il doit être ressenti comme le besoin de confier un secret qui nous fait mal à un confident en qui on a confiance et qui peut nous éclairer. Cette confession ou confidence doit être accueillie avec beaucoup d'amour et sans aucun jugement. Si le confident assume bien son rôle, la personne se libérera de ce secret qui lui pesait sur le cœur.

Que de fois, au cours d'une thérapie, j'ai entendu un participant m'avouer: «Je n'ai jamais dit cela à personne avant toi»!

- ***Par le regret***

Comme nous l'avons vu précédemment, pour qu'il y ait *karma accompli*, les quatre facteurs (intention, connaissance, action, réjouissance) doivent être réunis. Dès que nous regrettons sincèrement un comportement ayant pu entraîner des préjudices, nous en diminuons considérablement les effets défavorables. En réparant l'offense le plus tôt possible, nous annulerons certains effets *karmiques*.

Si nous semons une mauvaise graine, assurons-nous de la déterrer avant qu'elle n'ait commencé à former des racines afin de l'empêcher de donner des fruits. Nous avons dit des paroles blessantes à une personne? Allons lui demander sincèrement pardon. Nous avons pris quelque chose qui ne nous appartenait pas? Rendons-le. Si ce n'est plus possible, remettons l'équivalent au propriétaire. Si nous avons menti pour notre propre bénéfice, rétablissons la vérité et acceptons de payer le prix de ce mensonge.

Un jour, un Hindou vint trouver le Mahatma Gandhi en pleurant: «J'ai tué un enfant musulman. J'ai les mains souillées de sang, ils (les musulmans) avaient tué mon fils.» Le Mahatma le rassura ainsi: «Je sais comment tu peux te sortir de cet enfer: va, trouve un petit orphelin, aime-le comme ton propre fils, mais élève-le comme un musulman.»

- ***Par la vigilance***

Avant de faire quoi que ce soit, interrogeons-nous sur notre motivation. Si elle est basée sur l'amour (sans aucune attente) et la compassion, passons à l'action; sinon renonçons-y. Pour appliquer le *dharma* à sa vie quotidienne, il importe de développer la vigilance. C'est grâce à elle que nous deviendrons l'observateur de nos gestes et que nous serons attentif aux pensées que nous entretenons et aux paroles que nous prononçons.

> *C'est ce qui sort de l'homme qui le rend impur. Car du dedans, du cœur de l'homme viennent les mauvaises pensées qui le poussent à agir de façon immorale, à voler, à tuer, à commettre l'adultère, à vouloir ce qui est aux autres, à agir méchamment, à tromper, à vivre dans le désordre, à être jaloux, à dire du mal des autres, à être orgueilleux et insensé. Toutes ces mauvaises choses sortent du dedans de l'homme et le rendent impur.*
>
> (Marc 7.20-30)

La meilleure façon de ne pas se créer de *karma* négatif consiste à garder le silence et à devenir observateur de soi.

- ***Par l'épuration***

Toutes les émotions, toutes les pensées et tous les sentiments que nous entretenons à l'état de veille s'enregistrent dans le corps astral pendant notre sommeil et forment des lignes de continuité. Il en est ainsi au moment de notre mort (transition).

Si nous prenons l'habitude de libérer le plus rapidement possible nos colères, nos frustrations et nos peines en intégrant la leçon qui s'y rattache, ces émotions ne créeront pas des lignes de continuité défavorables.

C'est sûrement ce que le Christ voulait faire comprendre aux êtres lorsqu'il disait: *Avant que le soleil ne se couche, va te réconcilier avec ton frère.*

Le *karma* est un sujet extrêmement complexe puisque d'une cause peuvent découler plusieurs effets qui, à leur tour, donneront naissance à de nouvelles causes produisant d'autres effets, et ainsi de suite.

Aucune pensée, aussi insignifiante soit-elle, aucune parole, aucun geste, bref aucun détail n'a une existence indépendante, sans rapport avec un autre événement. Chaque instant, chaque situation et chaque phénomène (naissance, mort, tremblement de terre) est le maillon d'une chaîne reliant causes et effets.

En partant de ces connaissances, voyons maintenant comment cela va se répercuter d'une incarnation à l'autre.

Nous mourrons plus d'une fois,
mais à cause du principe divin,
nous changeons de forme.
Je suis ton âme divine,
et ceci est le livre de ta vie.
Il renferme des pages pleines
de tes existences passées,
et les pages blanches
de tes existences futures.

Le Livre des Morts égyptien

RÉINCARNATION OU CONTINUITÉ

Tout être humain se pose un jour des questions face aux inégalités qu'il observe autour de lui: Pourquoi telle personne est belle, riche et talentueuse alors que telle autre est laide, pauvre et malade? Pourquoi une personne est née aveugle ou handicapée?

La théorie de la réincarnation répond à notre besoin de justice, en nous offrant une nouvelle chance plutôt que le côté radical de l'éternité, soit le paradis ou l'enfer après une seule existence.

Elle peut également expliquer le sentiment étrange de «déjà vu» que l'on éprouve parfois, ou celui d'avoir vécu à un autre endroit ou dans un autre temps.

Par exemple lorsque, enfant, je me rendais à l'église le matin, je chantonnais en croyant inventer des mots. Ce n'est que bien des années plus tard que je découvris qu'il s'agissait en fait de mots espagnols. D'où me venait cette connaissance? Comment expliquer que je pouvais parler cette langue alors que j'en ignorais même l'existence? Ce phénomène se répéta lors de mon voyage au Mexique, accompagné, là aussi, d'un sentiment de déjà vu. Aurais-je été une Mexicaine dans une existence antérieure?

Miguel a été la première personne à piquer ma curiosité concernant la réincarnation. J'ai ensuite fait la connaissance d'un hypnotiseur qui amenait une personne sous hypnose à une régression d'âge. Il lui demandait alors de décrire l'endroit où elle se trouvait, si elle était un homme ou une femme, ce qu'elle faisait, etc.

La première fois que j'assistai à l'une de ces régressions, la personne hypnotisée était une femme sans grande beauté, qui vivait des conflits avec son époux. Une fois sous hypnose, elle décrivit des scènes se déroulant dans une région désertique. Elle était esclave, et son maître la battait. L'hypnotiseur lui demandant de s'exprimer dans sa langue, cette femme de nationalité canadienne-française se mit alors à parler en hébreu, une langue que je doutais fort qu'elle connaisse.

À un certain moment, l'hypnotiseur lui dit: «Maintenant, tu vas te préparer à quitter ton corps et tu vas rejoindre une grande lumière.» J'ai pu observer, à ce moment-là, que le visage de la femme se transformait et qu'il en émanait une grande beauté.

Cette constatation m'obligea à pousser plus loin mes recherches concernant la réincarnation. J'ai suivi cet hypnotiseur pendant un certain temps, pratiquant moi-même quelques hypnoses à l'occasion, sous sa direction. Ces expériences m'avaient convaincue de la réalité de ce phénomène.

Cependant, si j'étais prête à accepter l'idée de la réincarnation dans le sens de «renaissance dans un corps humain», je ne pouvais accepter celle concernant un corps d'animal. Cela me paraissait une régression plutôt qu'une évolution de la conscience de l'être.

Lors d'un premier voyage en Inde, je fus plus que stupéfaite d'entendre Sa Sainteté le Dalaï-Lama nous annoncer que tant que nous nous trouverions dans le *samsara* (le cycle des renaissances), nous passerions par des cycles pouvant nous amener à renaître dans le monde animal. L'idée faisant son chemin, je finis par accepter cette possibilité. Lors d'un second voyage dans le même pays, de nouvelles connaissances me permirent d'approfondir encore plus cette question de la réincarnation.

Toutes les étapes que j'ai franchies m'ont permis de comprendre que pour atteindre la vérité, il fallait être prêt à remettre en question tout ce que l'on avait jusque-là tenu pour vrai. Ce qui ne détruit pas nécessairement nos croyances, mais nous aide à les approfondir.

Tous les véritables Maîtres spirituels qui sont venus dans ce monde nous ont transmis la Vérité absolue. Ce qui fait la différence, c'est notre aptitude à la comprendre, d'un moment à l'autre ou d'une personne à l'autre.

La personne qui escalade une montagne en aura une perspective bien différente selon qu'elle se trouve en bas de la pente, au milieu ou au sommet.

> *Pour atteindre la vérité, il faut une fois dans sa vie se défaire de toutes les opinions que l'on a reçues et reconstruire de nouveau, et dès le fondement, tous les systèmes de ses connaissances.*
>
> René Descartes

Ouvrons donc notre esprit pour tenter de considérer le phénomène de la réincarnation dans une perspective plus large que tout ce que nous avons accepté jusqu'à maintenant.

L'HISTOIRE DE JEAN-FRANÇOIS

Jean-François est né dans une famille aisée. Il est beau, intelligent et gentil. Depuis qu'il est enfant, il est constamment exposé à l'agressivité de ses compagnons, que ce soit à la garderie ou à l'école. Il en est de même dans le nouvel emploi qu'il occupe.

Bien qu'il accepte l'idée qu'il y a une cause à l'agressivité qu'il subit, il ne peut comprendre comment il se l'attire puisqu'il n'a jamais été agressif lui-même.

Pendant une régression d'âge effectuée en état de détente profonde, il voit un garçon aux cheveux châtains, svelte et d'allure athlétique. Il l'observe à différentes périodes de sa vie. Ce garçon se montre très agressif autant envers les animaux que les enfants qui l'entourent. Il semble retirer un certain plaisir à faire du mal aux autres. Cette agressivité semble provenir de la frustration d'avoir été abandonné par sa mère après sa naissance.

Élevé par un père autoritaire et des grands-parents qui le comblent et qui dissimulent ses méfaits, il devient à l'adolescence, de plus en plus rebelle à la société. Au début de la vingtaine, il se joint à un groupe de trafiquants. Il mourra quelques années plus tard dans l'explosion d'une voiture piégée.

La similitude entre ce garçon et Jean-François est fascinante. Ils ont les mêmes caractéristiques physiques. De plus, Jean-François a également été séparé de sa mère en bas âge. Il fut également élevé par un père autoritaire (sans pour autant être agressif) et dans l'entourage de ses grands parents paternels qui l'ont beaucoup comblé.

Le Docteur Ian Stevenson, directeur de la faculté de parapsychologie du département de psychiatrie de l'université de Virginie, aux États-Unis, a effectué des travaux très importants sur le thème de la réincarnation. Plus de 2 500 cas lui ont été soumis, venant des quatre coins du globe.

Stevenson a constaté, dans un très grand nombre de cas, qu'il y avait ressemblance physique des personnages en cause. Parfois, certaines marques dont on ne pouvait expliquer l'origine dans la vie présente (cicatrice, malformation) trouvaient leur raison d'être dans un supplice ou un accident vécus dans une vie antérieure.

Dans la majorité des cas étudiés, les sujets montraient les mêmes goûts et les mêmes dégoûts dans l'existence présente que dans une existence passée, de même que des traits de caractère ou des talents similaires.

L'HISTOIRE DE PHILIPPE

Philippe en est un bel exemple. Depuis qu'il est enfant, il éprouve une douleur sous l'omoplate gauche, qui se manifeste sans prévenir. Lorsqu'elle survient, Philippe la ressent comme un coup de poignard qui lui coupe le souffle pour quelques secondes, parfois un peu plus. Il a consulté divers praticiens qui ont prétendu qu'il s'agissait probablement d'un spasme occasionnel.

Au cours d'une première régression d'âge, Philippe a vu un homme d'une quarantaine d'années qui était lieutenant dans l'armée allemande. Cet homme était marié et père de trois enfants. Un jour, il rentrait chez lui après avoir négocié avec l'ennemi quand il fut soudain assassiné d'un coup de couteau dans le dos. Précisément à l'endroit où Philippe ressentait de la douleur.

Nous vérifions alors si, dans sa vie actuelle, Philippe n'aurais pas été victime de trahison. Il se remémore alors différents événements où il s'est senti trahi, le plus important étant l'infidélité de son épouse.

Le lieutenant de sa visualisation était mort avec la pensée qu'il avait échoué dans sa mission de conciliation. Tout comme Philippe qui s'attribuait l'échec de sa relation de couple.

Lorsque Philippe a pu se libérer de ce sentiment d'échec et qu'il a pardonné à son agresseur passé, sa douleur au dos a diminué en fréquence, pour disparaître totalement en moins d'une année.

Lors d'une seconde régression, Philippe reconnut cette fois des scènes de la Rome antique. Il vit un bourreau qui fouettait et torturait les prisonniers. Plus cet homme se donnait à son travail, plus il devenait cruel et plus il était malheureux. Bien que Philippe tentât de changer les images qui se déroulaient dans sa vision intérieure, les scènes s'imposaient à lui.

Ce bourreau finira décapité par la main d'un fugitif. Lorsqu'il vit sa tête rouler, il en ressentit un profond soulagement.

Philippe est-il la réincarnation du lieutenant et du bourreau?

En répondant affirmativement à cette question, on se trouve à accepter l'existence d'une âme individuelle ou d'une entité autonome qui reviendrait plusieurs fois sur terre.

Si, par contre, nous rejetons cette hypothèse, comment pourrons-nous expliquer les images que Jean-François et Philippe ont vues? S'agissait-il d'un produit de leur imagination? Si oui, de quelle façon pourrions-nous interpréter la disparition de la douleur de Philippe après qu'il eut pardonné à son agresseur et qu'il se fut affranchi de son sentiment d'échec?

Pour répondre à ces questions, il faut savoir au préalable quels sont les éléments qui se réincarnent.

De l'union des gamètes mâle et femelle qui ont fusionné s'est formé ce que nous appelons un embryon qui, en se développant, a pris le nom de «fœtus». À la naissance, il est devenu un bébé, puis un enfant, un adolescent, un adulte, et enfin un vieillard. Quand ce vêtement de matière physique est devenu inutile, on a dit de cet individu qu'il était mort.

Mais y a-t-il vraiment eu quelqu'un qui est né et quelqu'un qui est mort?

Nous pouvons d'ores et déjà affirmer que le vêtement a subi de multiples transformations. Mais la personne qui l'a porté, d'où venait-elle et où allait-elle?

Ce que nous appelons «âme» n'est en fait qu'un assemblage de matériaux causal-mental-astral-physique. Ces matériaux tant physiques que subtils composeront ce que nous appelons la «personnalité» de la nouvelle forme choisie. Cette personnalité sera constituée de tendances passées (*vasanas*) qui détermineront les goûts et les dégoûts de l'être, de même que ses aptitudes, ses motivations, ses talents et ses difficultés.

Par ailleurs, cette personnalité sera confrontée à des expériences reliées à des empreintes passées (*samskaras*) et qui se perpétueront par elle.

L'être sera cependant libre de subir intégralement ces empreintes et ces tendances, ou il pourra s'en libérer en les transformant. Cette personnalité sera donc, elle aussi, en perpétuel changement.

Prenons l'exemple de l'enfant confié à un orphelinat qui a vécu un sentiment d'abandon concernant sa mère. Cet événement relève d'une empreinte *karmique*; ce *karma* n'a pas été engendré par cet enfant - qui, lui, est un nouvel assemblage - mais il se continue par lui.

Aussi, tant que cet individu n'interviendra pas sur son empreinte *karmique*, il revivra ce sentiment d'abandon avec d'autres personnes. Lorsque la souffrance suscitée par ces expériences deviendra insupportable, il pourra choisir d'en chercher la cause ou de la fuir dans l'alcool, la drogue ou le suicide.

S'il accepte que la cause est en lui et non à cause de lui, il pourra intégrer la leçon reliée à ce *samskara*, soit par le pardon, soit par le détachement qui n'a pas été réalisé.

Supposons le cas d'une personne qui, à cause de sa rancune envers sa mère, l'aurait laissée mourir seule. Ce *karma* pourrait entraîner des situations d'abandon.

Nous portons tous, en chacun de nous, des empreintes qui proviennent de vies passées. Elles fournissent l'explication à bien des situations difficiles et malheureuses, tout autant qu'à celles qui sont faciles et heureuses et que nous ne comprenons pas.

Pourquoi telle personne s'attire-t-elle de gagner un million de dollars à la loterie alors que tel artiste de grand talent n'arrive pas à vivre de ses œuvres?

Les bouddhistes parlent du «non-manifesté» qui garde en mémoire les plaisirs que les êtres ont voulu répéter ainsi que les déplaisirs, les peines ou les tragédies qui ont été refusées. Tous les plaisirs convoités et les souvenirs refoulés tendent à se répéter, à refaire surface et à se manifester dans de nouvelles formes et selon de nouveaux scénarios. Nous donnons, parfois à tort, le nom de «coïncidences» à ces phénomènes.

Prenons le cas de cet habitant des Bermudes qui a été tué par un chauffeur de taxi alors qu'il se promenait en mobylette. Cet accident s'est produit exactement un an après que le frère de la victime ait été lui-même frappé mortellement sur la même rue et par le même chauffeur de taxi, qui transportait le même passager.

Et que penser de l'étrange destin des présidents Lincoln et Kennedy, dont la similitude est troublante?

Lincoln a été choisi comme candidat à la présidence par la Convention républicaine en 1860, et Kennedy a été élu en 1960. Tous deux se sont préoccupés du problème des Noirs. Ils ont été tués d'une balle tirée par derrière, sous les yeux de leur femme. L'assassin de l'un et de l'autre sera supprimé avant qu'on puisse le juger. Le nom de l'assassin de Lincoln, John Wilkes Booth, est composé de 15 lettres. Il est né en 1839. Il a tiré sur Lincoln alors que celui-ci se trouvait au théâtre. Il est ensuite allé se cacher dans un entrepôt.

Lee Harvey Oswald, l'homme qui a tué Kennedy, portait un nom de 15 lettres. Il est né en 1939. Il a tiré sur le président à partir d'un entrepôt. Il s'est ensuite réfugié dans un cinéma.

À Lincoln a succédé le président Andrew Johnson, né en 1808, et à Kennedy, Lyndon B. Johnson, né en 1908. Le secrétaire de Lincoln s'appelait Kennedy. Il avait suggéré au président de ne pas se rendre au théâtre le jour où il a été assassiné. Le secrétaire de Kennedy s'appelait Lincoln. Il avait prié le président de ne pas se rendre à Dallas le jour où il a été tué.

Le président Kennedy était-il la réincarnation du président Lincoln? Non. Cependant, la continuité de certaines tendances et empreintes du président Lincoln a très bien pu se manifester dans les intérêts et les actions du président Kennedy. Ces tendances et ces empreintes peuvent tout aussi bien s'amalgamer dans une forme déjà existante que dans une nouvelle.

Nous pourrions également établir un parallèle entre l'actrice Marilyn Monroe (de son vrai nom Norma Jean Mortenson), cette belle femme blonde, grande séductrice des années 1950, décédée en 1962, et la chanteuse Madona. N'ont-elles pas en commun une certaine ressemblance et un côté très provocateur pour leur époque respective?

Mentionnons également l'histoire fascinante de ce prophète et guérisseur endormi, Edgar Cayce[1] qui, à l'état éveillé, était un homme d'une grande simplicité, et même quelque peu ignorant. Mais, en état de sommeil médiumnique, il réalisait des prodiges. Son savoir médical était alors impressionnant. Comment pouvait-il avoir accès à une telle connaissance?

On lui a demandé qui lui dictait les réponses données aux questions posées pendant ses «lectures». À l'état éveillé, il était incapable de fournir une explication concernant ce phénomène. Mais, pendant son sommeil, il a déclaré que «son esprit» puisait ses informations dans ce qu'il avait récolté par le passé ou dans ce que lui révélaient d'autres esprits se trouvant dans l'au-delà.

---

1. Pour en savoir plus long sur la vie d'Edgar Cayce, reportez-vous à la page 198 du tome 1 de Rendez-vous dans les Himalayas.

D'après Cayce, rien n'arrive par hasard. La maladie non plus. L'esprit choisit d'être malade pour racheter une faute passée et pour progresser spirituellement afin d'accélérer le paiement de la dette *karmique*.

Ainsi, à une personne souffrant de surdité, il expliquera que dans une vie antérieure, elle avait fermé ses oreilles aux demandes et prières de ses proches. Et il donnera à un couple la raison de leur infertilité qui aurait été le résultat de l'abandon d'un enfant dans une vie antérieure.

Les maladies *karmiques*, c'est-à-dire les maladies apportées au moment de la naissance ou se développant dans la tendre enfance «auraient été choisies par l'esprit», avant même que celui-ci s'incarne dans un corps physique. Si l'on naît avec un estomac fragile, par exemple, c'est que l'esprit veut ainsi se racheter pour des abus répétés et des excès commis dans une vie précédente.

À ce sujet, j'ai reçu, dans l'un de mes groupes de régression, une participante atteinte d'épilepsie, qui était née avec deux estomacs et deux œsophages. Durant sa régression, elle a vu une femme très grosse, mère d'une famille nombreuse, qui cuisinait beaucoup et comblait un vide affectif par la nourriture, qu'elle consommait avec excès. Cette participante m'a décrit le comportement de cette femme en ces termes: «Elle mangeait comme deux.»

Autre fait intéressant: cette participante a réussi à réduire le nombre de ses crises d'épilepsie en les associant au besoin qu'elle éprouvait que l'on s'occupe d'elle.

Au cours de ces régressions, j'ai moi-même découvert de nombreux liens entre ce que vivaient les participants et leurs antécédents passés. Voyons-en quelques exemples:

Un homme qui ne pouvait obtenir de jouissance sexuelle avec une femme découvrit dans une existence passée l'épisode d'un homme violant une femme.

Un autre homme souffrait de maux de tête inexplicables dès qu'il se trouvait dans un endroit bruyant. Lors de sa régression, il vit les images d'un forgeron, père d'une famille nombreuse, qui était incapable de supporter les cris de ses enfants lorsqu'il rentrait à la maison. Cela lui donnait de pénibles maux de tête! Ce participant était fils unique et ne désirait lui-même qu'un seul enfant. Il avait le corps trapu, tout comme le forgeron de sa visualisation. Et le plus cocasse, c'est qu'il habitait rue «de la Forge».

Une autre histoire concerne une participante qui avait très mauvaise haleine. C'était une personne d'une réelle bonté, qui n'entretenait que de nobles pensées. Je n'arrivais pas à m'expliquer comment une femme aussi merveilleuse pouvait dégager une telle haleine. Jusqu'au jour où je l'amenai en régression d'âge.

Lors d'une première séance, elle revit une tante décédée avant sa naissance, qui se trouvait être la sœur de sa mère. Sur le coup, elle ne comprit pas le lien avec son cas. L'une des thérapeutes du Centre lui demanda alors si elle avait des problèmes de digestion, ce qui pouvait expliquer sa mauvaise haleine.

La participante en fut surprise. Elle n'avait jamais réalisé qu'elle avait mauvaise haleine. Personne n'avait osé le lui dire. Soudain, elle se rappela ce que sa mère lui avait raconté au sujet de sa propre sœur. C'était une personne extrêmement religieuse qui, dans son désir immodéré de se rapprocher de Dieu, avait pris son corps en aversion, jusqu'à se laisser aller à l'autodestruction. Son corps était devenu si malade que ses intestins se trouvaient en état de putréfaction. L'hôpital l'avait retournée chez elle sans rien lui dire. Sa mère avait conclu son histoire par ces mots: «Ce qui l'a sauvée, c'est qu'elle ne se sentait pas.»

Cette participante non plus ne s'était jamais sentie et, tout comme cette tante, elle ne s'était jamais donné le droit de penser à elle ou de jouir de tout le confort que la vie pouvait lui offrir.

Lorsqu'elle fit le lien entre les deux cas et qu'elle pardonna à sa tante de s'être autodétruite, elle-même choisit la voie du juste équilibre, et sa mauvaise haleine disparut.

Une autre participante était mariée à un homme alcoolique qui lui rendait la vie très difficile. Bien que son entourage l'incitât à le quitter, elle était incapable de le faire et ne parvenait pas à s'expliquer pourquoi.

Dans sa régression d'âge, elle vit des paysages ressemblant à ceux de la Bretagne. Dans la maison familiale, un homme ivre était assis à une longue table en bois. Une femme dans la trentaine le servait. C'était sa fille. Bien que cet homme fût un poids pour elle, elle le garda jusqu'à sa mort.

Pour cette participante également, son époux était un fardeau très lourd à supporter; comme la femme de sa visualisation, qui ne pouvait se résoudre à se séparer de son père, elle non plus n'arrivait pas à quitter son mari.

Sa régression lui fit comprendre qu'elle devait apprendre à se détacher de la souffrance des autres. Elle se rendit compte que tant qu'elle prendrait sur ses épaules le fardeau de l'autre, celui-ci ne bougerait pas. Elle remit donc à son époux la responsabilité de sa vie et lui laissa le choix entre détruire sa vie s'il le désirait ou chercher de l'aide. Peu de temps après, son mari s'engagea dans un mouvement d'aide aux alcooliques.

Voyons enfin l'histoire de Jean-Paul qui était habité par un profond désir d'aider les autres. Il consacrait sa vie à ceux que l'on considère comme des marginaux (ex-drogués, repris de justice, décrocheurs, etc.) et réussissait très bien avec eux. Cependant, ses propres fils étaient pour lui une grande source de souffrance. Le premier était mort d'une *overdose* et le second lui causait tout autant de soucis.

Jean-Paul était malheureux à l'extrême. Ayant perdu son premier fils, il vivait dans la peur de perdre le second. De plus, sa femme lui reprochait la mort de son premier enfant: «C'est de ta faute, lui disait-elle, tu n'étais jamais là.»

Dans sa régression, Jean-Paul aperçut une réserve indienne et il vit le chef de la réserve arriver pour découvrir que celle-ci avait été détruite et mise à feu et à sang. Il s'abandonna alors à un chagrin profond, en pensant que s'il avait été là, ce massacre n'aurait jamais eu lieu.

Si ce chef était mort vieux, entouré de ses fidèles, cette situation n'aurait sûrement pas donné une tendance (*vasana*) aussi forte à vouloir aider les autres, de même que ce sentiment de culpabilité. Grâce à sa régression, Jean-Paul se libéra de cette culpabilité qu'il portait et il a pu retrouver la paix et la sérénité. Il continue à aider les autres mais, cette fois, sans assumer la responsabilité de ce qu'ils vivent.

On pourrait conclure que tout handicap, toute situation heureuse ou malheureuse peut avoir des liens avec les tendances et les empreintes passées.

Selon Cayce, l'esprit a choisi lui-même sa «punition» avant la naissance, et même avant la conception. Il nous faut donc développer notre mémoire *karmique* et accepter ce qui a été choisi par notre esprit. C'est seulement par cette prise de conscience que notre manière de penser évoluera et que nous pourrons nous libérer de ces dettes *karmiques* (empreinte s ou *samskaras*).

En général, les souvenirs des existences passées ne remontent à la conscience que lorsque l'être a déjà entrepris une démarche de croissance. Il a alors intégré suffisamment de leçons de vie pour être en mesure d'assumer de telles révélations.

Il serait inutile, et même dangereux, de faire remonter de tels souvenirs à la mémoire d'une personne avant qu'elle soit prête à en appliquer les leçons. Il y aurait risque de perturber son équilibre psychique et émotionnel.

Les personnes devraient avoir la liberté de sortir de la régression au moment où elles le désirent. C'est la raison pour laquelle j'ai renoncé à l'hypnose, lui préférant une technique de détente qui laisse les empreintes libres de se manifester, de refaire surface d'elles-mêmes.

Certains participants, piqués par la curiosité, ont été déçus de ne rien voir lors de leur expérience de régression. La curiosité ou le désir trop grand de voir des événements passés peut justement empêcher ces souvenirs de remonter à la mémoire. Ce n'est que dans l'abandon et l'acceptation totale qu'ils se révéleront.

Par ailleurs, les régressions devraient toujours se dérouler sous la surveillance d'un thérapeute compétent, capable d'aider la personne à libérer l'émotion et à intégrer la leçon qui y est rattachée. Aussi vaut-il mieux être extrêmement prudent dans ce domaine et fuir les supposés «régresseurs» incompétents et peu consciencieux.

La régression d'âge n'est pas un jeu; elle ne doit être utilisée qu'à l'intérieur d'une thérapie en profondeur, lorsqu'un premier nettoyage a déjà été réalisé ou lorsqu'un blocage causant de la souffrance ne peut être résolu. Les cas relatés ici n'avaient pour but que de démontrer les liens existant entre des existences passées et l'existence actuelle.

Dans l'Évangile selon saint Jean, le Christ a fait allusion à deux reprises à cette grande vérité concernant cette loi de continuité lorsqu'il a affirmé:

> *Celui qui moissonne reçoit déjà son salaire et il rassemble le grain pour la vie éternelle; ainsi, celui qui sème et celui qui moissonne se réjouissent ensemble. Car il est vrai le proverbe qui dit: «Un homme sème et un autre moissonne.»*
>
> (Jean 4. 36-37)

> Et lorsque ses disciples lui demandèrent, à propos de l'aveugle de naissance: *Maître, pourquoi cet homme est-il né aveugle? À cause de son propre péché ou à cause du péché de ses parents?*, Jésus répondit: *Ce n'est ni à cause de son péché ni à cause du péché de ses parents. Il est aveugle pour que l'œuvre de Dieu puisse se manifester en lui.* (Jean 9. 2-3)

Lorsque nous abordons le sujet de la réincarnation, nous nous retrouvons très souvent devant des extrêmes.

D'un côté, il y a ceux qui en nient complètement l'existence, croyant que tout s'arrête après la mort de leur corps physique. D'autres pensent que le fait d'appartenir à un mouvement religieux leur assure le paradis à la fin de leur passage sur la terre.

L'autre extrême concerne les personnes qui reconnaissent ce phénomène comme véridique et qui en tirent un certain orgueil ou une certaine justification. Certains diront, par exemple: «Dans une existence antérieure, j'étais un grand médecin», ou encore: «J'étais le conseiller du pharaon Toutankhamon.» D'autres se justifieront de certaines actions en ces termes: «Que veux-tu, dans une autre vie, j'ai dupé le seigneur pour lequel je travaillais. C'est ce qui explique que malgré tous mes efforts, je n'obtiens que très peu de résultats.» D'autres encore qui vibrent en affinité, affirmeront qu'ils se sont connus en Atlantide ou ailleurs.

Il y a également certaines consultations avec des médiums qui viennent renforcer ces croyances. Par exemple, lors d'une séance médiumnique, j'avais demandé si Laurent et moi nous étions connus dans une autre vie. J'avais eu comme réponse: «Il y a eu plusieurs vies où vous vous êtes entraidés. Dans une dernière, tu étais une petite Hollandaise. Lui venait d'une famille noble et riche et il a aidé tous les membres de ta famille à poursuivre des études. Tu es tombée amoureuse de cet homme, mais lui ne t'aimait pas comme une femme, ainsi que tu l'aurais souhaité, et tu lui en voulais pour cela. Il est parti, et tu as décidé que puisque tu ne pouvais vivre avec l'homme que tu aimais, il n'y en aurait aucun autre dans ta vie. Tu as fermé ton cœur et tu es morte avec ce chagrin secret.»

Étais-je cette petite Hollandaise? Et cet homme qui avait aidé toute sa famille, était-ce Laurent? Dans ma vie actuelle, j'ai répété le même scénario, en vivant la même séparation, la même attente, les mêmes colères de ne pas être aimée comme une femme. Et j'ai pris la même décision de fermer mon cœur. J'ai ressenti la même absence, le même vide qui se manifestait par des crises d'ennui que je ne pouvais m'expliquer.

Lorsque j'ai pris conscience de cette décision défavorable, je l'ai changée. Il s'en est suivi des changements heureux dans mon existence, qui m'ont permis de vivre actuellement une merveilleuse relation de couple.

Il y a plusieurs années, j'ai rencontré une médium qui m'a révélé de nombreuses vérités concernant mon passé dans ma vie actuelle. Elle avait mentionné des choses que j'étais seule à connaître et avait fait des prévisions qui s'étaient révélées exactes.

À elle aussi, j'avais demandé de me parler de mes vies passées. Elle me dit: «Tu étais un homme et tu habitais le petit village de Santa Maria près de Madrid, en Espagne. Tu étais un chercheur en médecine et tu enseignais à d'autres médecins. Tu étais imbu de ta personne et orgueilleux de tes connaissances. Tu as perdu ton épouse alors que tu étais relativement jeune. Tu ne t'est jamais remarié et tu as vécu beaucoup d'ennui et tu as gardé cette tristesse secrète. Tu es finalement mort d'une crise cardiaque.»

Les empreintes *karmiques* que je portais pouvaient-elles expliquer ces mots espagnols que j'entendais dans ma tête d'enfant? Je me souviens tout particulièrement combien j'étais attirée par une maison de style espagnol qui se trouvait dans le village où j'habitais. Je ne me lassais pas de la regarder.

Cela pouvait-il expliquer mon ennui persistant, mon choix premier de carrière, la recherche médicale, ainsi que la non-reconnaissance par les autres de mes recherches et de mes découvertes en métamédecine à cause de l'absence chez moi de titres universitaires? La réponse est «oui».

Étais-je donc cet Espagnol ou cette petite Hollandaise, ou les deux?

Pour bien comprendre cette notion, faisons une analogie avec un jardin.

La première année, nous y semons des carottes, des pommes de terre et de la laitue. Nous récoltons les carottes et les pommes de terre, et laissons la laitue monter en graine. L'année suivante, nous semons des concombres et des tomates, et les graines de laitue donnent de nouvelles laitues. Pouvons-nous dire que le jardin de cette année est celui de l'an dernier? Non, il n'en est que la continuité.

Les âmes sont comparables à des jardins: il y en a de nouvelles comme il y en a de très vieilles. La terre sur laquelle sont aménagés ces jardins, c'est le monde phénoménal qui est en changement perpétuel.

Si donc ce chercheur espagnol n'avait pas développé suffisamment son humilité et n'avait pas intégré le détachement, ses empreintes auraient-elles pu se retrouver chez une petite fille pauvre ayant à vivre une expérience de séparation? Et si cette femme n'avait pas accepté sa pauvreté et le départ de cet homme, cela aurait-il pu expliquer que je me sois retrouvée dans une famille où ma mère était veuve et où elle devait travailler très fort pour nous faire vivre? Cela expliquerait-il aussi les expériences de détachement de plus en plus douloureuses et difficiles à vivre que j'ai connues? OUI.

J'ai parlé de transmission d'une personne à une autre mais je dois signaler que les *samskaras* que nous portons ne sont pas ceux d'une seule personne mais de plusieurs personnes en même temps. Tout comme un jardin peut contenir des roses plantées il y a vingt ans, des framboisiers de dix ans, des fraisiers de cinq ans, un pommier de quatre ans et des carottes de l'année.

Nous ne pouvons donc affirmer que la personne qui a vécu telle situation était bien nous-même. La composition (causale-mentale-astrale-physique) issue des empreintes et des tendances peut venir de cette personne comme de bien d'autres.

Chez les bouddhistes, la réincarnation sous-entend les prédécesseurs et les successeurs. C'est pourquoi ils utilisent le terme «prédécesseur» lorsqu'ils affirment que Sa Sainteté le 14e Dalaï-Lama est la réincarnation du grand 13e Dalaï-Lama.

Sa Sainteté le Dalaï-Lama a été reconnue en bas âge comme un *toulkou*. Un *toulkou*, c'est la continuation morcelée d'un saint homme ou d'un sage, dans ses qualités intellectuelles, ses pensées, sa spiritualité et ses vertus.

Cette substance immatérielle se divise au moment du *bardo* (l'intervalle entre la mort et la prochaine incarnation) en deux ou même en trois corps physiques. Ainsi, trois enfants nouveau-nés recevront chacun une partie de ce saint homme: une partie ira dans le corps de l'un, une deuxième partie, dans la parole de l'autre et une dernière, dans la conscience du troisième.

L'enfant qui aura reçu la conscience de son prédécesseur sera reconnu comme *toulkou*. Les enfants *toulkou* jouissent toujours d'une intelligence précoce. Ils possèdent des dons remarquables et de grandes dispositions spirituelles.

Ainsi donc, il n'y a pas un principe fixe qui reprend un nouveau corps. Il s'agit plutôt d'une continuité d'empreintes et de tendances engendrées par les êtres; celles-ci se poursuivent dans d'autres compositions, donnant ainsi naissance à de nouveaux êtres.

En tenant compte de ce qui vient d'être dit, on pourrait se demander à quoi sert de se créer de bons *karmas* en développant et en pratiquant les nobles vertus.

Il y a à cela trois raisons principales:

- La première tient au fait que toute action, parole, pensée, ainsi que tout sentiment se manifestant aujourd'hui aura des répercussions demain et après-demain... Nous préparons donc à chaque instant ce que nous vivrons l'instant suivant. Pourquoi alors ne pas nous préparer à recevoir le meilleur plutôt que le pire?

- La seconde raison est que la connaissance nous permet de nous libérer des empreintes et tendances défavorables pour nous en créer de plus favorables. Mais pour recevoir cette connaissance, encore faut-il avoir de bons *karmas*.

- Et la troisième, et non la moindre, concerne notre continuité dans les autres dimensions. Lorsque nous quitterons notre enveloppe charnelle, nous poursuivrons notre périple dans le monde astral. Si nous avons accumulé de bons *karmas*, nous passerons directement dans les sous-plans du haut-astral alors que, dans le cas contraire, nous nous retrouverons dans les sous-plans du bas-astral.

Lorsque notre séjour dans ce plan touchera à sa fin, nous nous retrouverons dans le plan mental et causal. Seuls les êtres ayant développé des véhicules appropriés, par l'observance du *dharma*, pourront continuer leur évolution dans cette dimension. Les êtres qui ont consacré leur vie à semer l'amour, la compassion et l'espoir vis-à-vis de leurs frères et sœurs de la terre atteindront les sphères supérieures, où il leur sera donné de poursuivre leur œuvre en devenant des guides spirituels.

Ceux qui, à l'inverse, n'auront vécu que d'une manière égoïste, en négligeant leur développement spirituel ou en accumulant des *karmas* défavorables, seront limités au plan astral. Lorsque leur corps astral aura atteint le stade de la décomposition, il pénétrera dans le monde mental où il ne séjournera qu'à l'état latent, sous forme de germe. Lorsque ces germes (tout comme les graines laissées en terre pendant l'hiver) seront réactivés par le souffle de vie, ils se recouvriront de matière astrale, pour entrer dans une nouvelle formation pouvant appartenir tant au règne humain qu'animal.

Au cours d'un de ses sommeils médiumniques, on avait demandé à Edgar Cayce si certains esprits pouvaient se réincarner dans un animal. Celui-ci avait répondu que oui, que les entités ayant une dette *karmique* très lourde (un *karma* accompli) pouvaient effectivement s'incarner dans un animal. Il a également mentionné que les personnes qui aimaient beaucoup les animaux et qui tentaient d'adoucir leur sort avaient parfois été elles-mêmes incarnées en animaux lors d'une vie antérieure.

Si, par le passé, il m'a été difficile d'accepter l'idée que la conscience pouvait se poursuivre à l'intérieur d'un animal, il m'a été donné de participer à certaines expériences de régressions qui m'ont laissée perplexe à ce sujet.

J'avais demandé aux participants qui se préparaient à entrer en régression d'aller se promener en silence dans la nature afin qu'ils se syntonisent à la fréquence qui leur permettrait de faire remonter des images du passé.

Une jeune femme est revenue en pleurant. Elle me raconta qu'à son retour de la méditation, elle ne marchait pas, elle «trottait». Sur le moment, je n'ai pas compris ce qu'elle voulait dire. Elle s'est alors calmée et est entrée doucement en régression. Lorsqu'elle émergea de ce voyage intérieur, elle nous fit part de ce qu'elle s'était vue dans le corps d'un très beau cheval de course et que, pendant une épreuve, un autre cheval l'avait fait percuter contre une barrière, ce qui l'avait tué.

Elle se rappela alors, selon ce que sa mère lui avait répété à plusieurs reprises, qu'elle ne voulait manger rien d'autre que de l'avoine sèche (gruau) jusqu'à l'âge de deux ans. Elle n'avait jamais compris non plus sa peur des chevaux et elle avait eu beaucoup de mal à accepter son propre corps, trouvant ses jambes trop longues. Fait cocasse, son époux ressemblait à un jockey, tant par la taille que par la physionomie.

Dans un autre atelier d'éveil à la spiritualité, une participante me demanda si un animal pouvait revenir dans le corps d'un être humain. Je lui demandai pourquoi elle me posait cette question. Elle me confia alors que depuis son tout jeune âge, son fils se comportait très souvent comme un chien. «Lorsqu'il veut nous exprimer son affection, dit-elle, il nous lèche. Quand il vient dans mon lit, il se frôle la tête sur moi, exactement comme le ferait un chien.»

Elle me raconta également que cet enfant ne voulait pas se coucher dans un lit, qu'il dormait recroquevillé sur lui-même, dans une cabane improvisée au fond de son placard. Lorsque la famille était assise devant la télévision, lui préférait s'étendre sur un petit tapis, à leurs pieds. Même que son jeu préféré consistait à faire le chien.

Elle me parla ensuite d'un chien qui l'avait un jour sauvée d'une noyade certaine. Alors âgée de trois ans, elle s'était éloignée de la maison à l'insu de ses parents et était tombée dans un petit étang qui se trouvait près de sa demeure. Elle précisa que sa famille avait beaucoup aimé cet animal, mais qu'elle ignorait toutefois comment il était mort. Elle me demandait si ce chien aurait pu continuer son évolution en prenant la forme de son fils.

Les animaux aussi se créent des *karmas*; mais n'ayant pas le niveau de conscience de l'être humain, ils ne peuvent induire volontairement de bons ou de mauvais *karmas*. Cependant, le fait d'avoir sauvé une vie humaine peut certes leur valoir une renaissance humaine.

C'est seulement à partir d'une naissance humaine que nous pouvons intégrer les connaissances susceptibles de nous libérer des cycles de renaissances. Le fait de ne pas utiliser cette possibilité à notre avantage est le pire gaspillage que nous puissions faire.

Jusqu'à présent, nous avons vu cette continuité chez les êtres. Il existe cependant des continuités propres aux peuples, qui leur font connaître la guerre, la pauvreté, la famine, les persécutions, etc.

À ce sujet, Cayce nous révèle que les horreurs des camps de concentration nazis, celles de la guerre de Sécession aux États-Unis, etc., seraient associées à des dettes *karmiques*. Ainsi en serait-il de la guerre civile en Espagne; elle constituerait le *karma* collectif d'un peuple qui, depuis les rois catholiques, avait fait preuve de racisme et de cruauté tant en Espagne qu'au Nouveau Monde.

Dans l'évangile selon saint Matthieu, Jésus s'adresse aux pharisiens en disant:

> *Hypocrites! Vous construisez de belles tombes pour les prophètes, vous décorez les tombeaux de ceux qui ont eu une vie juste et vous dites: «Si nous avions vécu au temps*

de nos ancêtres, nous n'aurions pas été leurs complices pour tuer les prophètes.» Ainsi, vous reconnaissez vous-mêmes que vous êtes les descendants de ceux qui ont assassiné les prophètes. Eh bien! continuez ce que vos ancêtres ont commencé. C'est pourquoi, écoutez; je vais vous envoyer des prophètes, des sages et des hommes instruits. Vous tuerez les uns, vous en clouerez d'autres sur des croix, vous en frapperez d'autres encore à coups de fouet dans vos synagogues et vous les poursuivrez de ville en ville. Ainsi, c'est sur vous que retombera la punition méritée pour tous les meurtres d'innocents qui ont été commis depuis le meurtre d'Abel le juste jusqu'au meurtre de Zacharie, fils de Barachie, que vous avez assassiné entre le sanctuaire et l'autel. Je vous le déclare, c'est la vérité: la punition méritée pour tous ces meurtres retombera sur les gens d'aujourd'hui.»

(Matthieu 23. 29-36)

Sur le plan personnel, ce genre d'empreinte *karmique* implique souvent la rencontre de personnes connues antérieurement. Ainsi, une victime pourra rencontrer son bourreau, ce qui donnera à celui-ci la chance de se racheter. Bien entendu, on ne reconnaît pas la personne connue antérieurement, dans le sens précis et temporel de «se remettre dans l'esprit l'image d'une personne que l'on revoit». Cependant, pour une mystérieuse raison, lorsqu'on rencontre cette personne pour la première fois, on a l'impression de la «connaître depuis toujours». Il en est de même pour les personnes qui se sont beaucoup aimées.

En nous libérant le plus possible des empreintes et tendances défavorables, en éveillant notre conscience par l'application de loi universelle, nous lèverons toujours davantage le voile qui recouvre notre véritable nature. Celle-ci se trouve bien au-delà du monde phénoménal que nous prenons pour la réalité.

OM GATÉ, GATÉ GATÉ, PARAGATÉ, PARASAMGATÉ.

L'absolu est bien au-delà de l'illusion.

Voyons maintenant ce qu'en disent les prophètes des grandes religions du monde.

Je t'aime mon frère qui que tu sois.
Je t'aime en prière dans ta mosquée,
en dévotion dans ton église,
ou en vénération dans ton temple.
Car toi et moi sommes les enfants
d'une même religion: la FOI.
Et les divers sentiers religieux
représentent les différents doigts
de l'unique main aimante de l'Être Suprême.
Et cette main se tend vers nous avec ardeur
et offre à nous tous, la plénitude de l'Esprit.

Khalil Gilbran

LES RELIGIONS DANS LE MONDE

La Terre est une toute petite planète en orbite autour de son Soleil, dans un univers composé d'une multitude de galaxies. Les scientifiques ont réussi à déterminer que le Soleil et la Terre ont émergé de leur immense tourbillon de gaz et de poussière il y a environ cinq milliards d'années. Ce n'est que beaucoup plus tard que sont apparues les premières molécules vivantes au coeur des océans terrestres.

Quant à l'homme, il est né en Afrique il y a cinq millions d'années. Au départ, il vivait comme un animal, sans aucune conscience. Peu à peu, en luttant pour sa survie, sa conscience s'est éveillée. Il ressentait les forces de la nature comme des puissances imprévisibles et menaçantes auxquelles il attribuait une bonne part de ses propres comportements : astuce, colère ou bonté. De là à donner à ces puissances la forme d'hommes ou d'animaux et d'en faire des dieux, il n'y avait qu'un pas, lequel fut vite franchi.

Toutes les religions primitives tirent ainsi leur origine d'une mythologie foisonnant d'êtres étranges ou merveilleux qui détiennent une partie du pouvoir surnaturel et se livrent, comme l'homme lui-même, à des rivalités sans fin.

Pendant la période paléolithique (l'âge de pierre), la peur de la mort et des morts ainsi que la croyance à un au-delà menaçant a donné naissance à tout un rituel magico-religieux. Conscient de sa dépendance totale face à la nature, l'homme a transformé en objets de culte une rivière, une montagne, une plante, un animal, etc.

À cette peur viscérale s'est ajouté le désir d'amadouer les divinités en leur offrant sacrifices et offrandes. Ce besoin de protection devenant de plus en plus grand, les requêtes se firent de plus en plus nombreuses. On demandait l'aide des dieux pour la chasse, les récoltes, les combats, la fécondité, etc. Les idoles apparurent, de même que les amulettes et les fétiches. On se mit à graver, à peindre, à sculpter des symboles, des animaux, des formes. Féticheurs, sorciers, guérisseurs, jeteurs de bons et de mauvais sorts se multiplient. Ils deviennent omniprésents dans la société, car ils codifient le mode de vie de ceux qui les entourent. Ce sont eux qui fixent les règles, qui déterminent ce qui doit être fait et ce qui ne doit pas l'être. Totems et tabous apparaissent.

Le totem est un animal considéré comme l'ancêtre du clan ou de la tribu. Étant sacré, il est donc l'objet de plusieurs devoirs et obligations, mais aussi sujet à des interdictions. Si, par exemple, le totem d'une tribu représente un crocodile, cet animal sera respecté et vénéré de toute la tribu. On devra le nourrir, lui offrir des sacrifices et des offrandes. Bien entendu, il sera interdit de lui faire du mal. Si un crocodile est tué malencontreusement par un membre de la tribu, ou encore volontairement par un membre d'un autre clan, la faute sera considérée comme extrêmement grave dans les deux cas. Le fautif aura alors droit à un châtiment exemplaire. Peut-être même sera-t-il jeté aux crocodiles comme nourriture. Pour le clan, cette sévérité est justifiée par le fait que l'esprit de l'ancêtre habite tous les crocodiles.

La dévotion aux totems, et donc la croyance à la transmigration de l'esprit de l'ancêtre dans le corps d'un animal, existe encore aujourd'hui dans certaines sociétés primitives d'Afrique noire et d'Océanie. Les indigènes de ces tribus croient qu'au décès d'une personne, son esprit revient habiter un autre corps après un séjour dans le royaume des morts. Dépendant du type de vie qu'aura menée la personne en question, la transmigration se fera dans un corps végétal, animal ou humain. Si elle s'est pliée au culte des ancêtres et qu'elle a bien respecté les totems et les tabous toute sa vie durant, elle aura droit à une transmigration agréable. Dans le cas contraire, la prochaine vie sera pénible. En d'autres mots, la vie future est le résultat de la vie présente. On constate ici que l'idée de châtiment et de récompense est bien ancrée dans les religions primitives et qu'elle est liée à la transmigration.

Ces religions primitives vont influencer d'une manière ou d'une autre presque toutes les religions qui verront le jour par la suite.

L'animisme est sans doute la première forme d'expression religieuse de l'être humain. Parler d'animisme, c'est évoquer l'Afrique, même si les adeptes de cette religion se retrouvent aujourd'hui tout aussi bien en Amérique latine qu'en Amérique centrale, en Asie ou en Océanie. Les religions animistes, prises dans leur sens large, tiennent une place considérable dans l'histoire ancienne et actuelle de la spiritualité humaine. On estime aujourd'hui leur nombre à 300 millions dans le monde, dont 200 millions d'Africains. Le plus souvent, les croyances animistes subsistent à des degrés divers dans des régions apparemment christianisées ou islamisées.

L'animisme, dans son ensemble, regroupe des centaines de religions propres à un peuple, à une tribu ou à un clan. Par exemple : la religion des Yoroubas (Afrique occidentale), les religions afro-américaines - dont le vaudou (Haïti) -, la religion mapuche (Chili), le shintoïsme (Japon), la religion des akans (Afrique occidentale) ou des bantous (Afrique centrale).

Les siècles passeront, et la pensée de l'être humain, en se développant, deviendra de plus en plus raffinée. Aux multiples questions qu'il se pose sur ses origines, le but de sa vie, ce que lui réserve l'après-vie, il trouvera des réponses. C'est ainsi qu'apparaissent en Orient les premières formes de pensée philosophique.

ÉVOLUTION DES COURANTS RELIGIEUX

1ère forme : POLYTHÉISME (Clans, tribus, peuplades se créant des dieux protecteurs)

2e forme : POLYTHÉISME ET MONOTHÉISME DUALISTE

Hindouisme ancien ou védantisme
- Brahmanisme
- Jaïnisme
- Hindouisme moderne et ses multiples sectes
- Sikisme

Note : Le védantisme pur est non dualiste tout comme les courants qui en sont issus, c'est la compréhension des adeptes qui sera dualiste.

Judaïsme
- Hassidims | Pharisiens | Zélotes | Samaritains | Kéraïtes Hébreux noirs | Tribus perdues d'Israël
- **Christianisme** | Église monophysite | Église orthodoxe | Église catholique | Église protestante | Église anglicane | Nouvelles Églises (Mormons, adventistes, témoins de Jéhovah)
- Askenaze Sepharade
- Juifs messianiques
- **Islam** | Sunnites | Chiites | Kharedjites

Zoroastrisme
- Parsis (Inde)
- Mazdéens (Iran)

Animisme
- Yoroubas (Afrique) | Vaudou (Haïti) | Mapuche (Chili) | Diverses religions africaines
- Shintoïsme (Japon)

3e forme : MONOTHÉISME NON-DUALISTE (PHILOSOPHIES SUPÉRIEURES)

De :
- **l'hindouisme ou védantisme** : Advaïta vedanta; Bouddhisme[1]
- **Judaïsme** : La kabbale
- **Islam** : **Soufisme**
- **Christianisme** : Véritable enseignement du Christ
- **Animisme** : Taoïsme

[1] Le bouddhisme a certainement subi l'influence du védantisme et de ses dérivés. On ne peut cependant dire qu'il en est issu.

L'HINDOUISME

L'hindouisme est la plus ancienne religion d'Asie. Il dérive de la religion des Aryens, une peuplade indo-européenne venant d'Iran, qui a envahi le nord de l'Inde environ 2000ans av. J.- C. L'hindouisme n'a pas de fondateur précis. C'est une religion centrée sur l'expérience personnelle de Dieu que les *rishis* (voyants) ont consignée 1000 ans av. J.-C. dans les *Védas* (savoir).

Le mot «hindouisme» est plus récent que la religion elle-même. Ce sont les musulmans qui, rencontrant pour la première fois des prêtres dans la province de Sindh où coule l'Indu, leur ont donné un nom dérivé de celui de cette province et de ce fleuve.

La tradition védique fut d'abord transmise oralement, pour être ensuite consignée dans quatre collections, ou *samhitas*.

La première (la *Raveda*) renferme des hymnes à l'usage des prêtres qui président aux offrandes et à l'invocation des dieux. Les autres collections sont, au départ, les manuels de culte des assistants.

Les prêtres védiques (bramahnes), entourés de leurs assistants, ont pour fonction d'exécuter minutieusement le rituel, qui commence par l'allumage cérémoniel de trois feux sur l'autel symbolisant le cosmos et qui se termine par le sacrifice.

Le sacrifice a pour objet la création d'un anthropos primordial rappelant l'origine de la création de l'homme. Cet anthropos, auquel les prêtres védiques ont donné le nom de *Parusa brahmana,* est le produit de l'émanation de l'ascèse brûlante qui a précédé la création du monde.

Ainsi donc, tout sacrifice singulier accompli par ces prêtres védiques se réfère à cette création originelle et garantit la continuité du monde par la répétition de l'acte créateur.

Il est intéressant de constater qu'Abraham, le père du judaïsme, s'appelait en réalité Abram, car il était brahmaniste.[1] Abram appartenait en effet à un peuple polythéiste qui sacrifiait des animaux et se prosternait devant des statues d'idoles.

1. En fait, du védantisme des Védas est né le brahmanisme qui devint plus tard l'hindouisme moderne.

Abraham eut une révélation qu'il fut appelé à transmettre. On peut lire en Genèse 12 : *Dieu dit à Abram : «Va vers toi-même, à partir de ton lieu de naissance. Ton nom sera Abraham, car je te donnerai de devenir le père d'une multitude de nations.»*

Le nom de Dieu ne devait pas être prononcé (puisque sans nom). Il s'écrivait «YHWH» : quatre consonnes sans voyelles, donc imprononçables. Ce n'est que bien après Abraham qu'on ajouta des voyelles pour former le nom YAHWEH, qui signifie «Celui qui est».

Également au début du livre de la Genèse, il est dit que *la Terre était informe et vide; il y avait des ténèbres à la surface de l'abîme* (ascèse brûlante), *et l'Esprit de Dieu se mouvait au-dessus des eaux.* Et aussi : *L'Éternel Dieu forma l'homme de la poussière de la terre* (anthropos primordial), *il souffla dans ses narines un souffle de vie* (prâna), *et l'homme devint une âme vivante.* (Gen. 1, 2-7)

On peut voir ici un lien de parenté avec le zoroastrisme, qui se situe entre les *védas* de l'hindouisme, dont le discours s'achève, et le bouddhisme, qui n'est pas encore né. On surnomme les adeptes du zoroastrisme les «adorateurs du feu». Le feu, par analogie avec le Soleil, représente Dieu, source de toute lumière.

Le nom «zoroastrisme» ne dérive pas du nom de son fondateur mais de celui du réformateur de la religion mazdéenne, Zoroastre (ou Zarathoustra) qui a vécu au VIIe ou VIIIe siècle avant notre ère.

La religion mazdéenne présente des traits communs avec celle de l'Inde védique, par exemple le sacrifice d'animaux et l'usage de boissons aux propriétés hallucinogènes.

Zoroastre affirme que son message est celui d'un prophète envoyé par le Dieu du Bien, Ahura Mazda. Il annonce la régénération du monde et préconise une morale où l'homme contribue activement à la justice, dont le triomphe sera l'œuvre de Dieu. Sous son influence, le mazdéisme est passé de polythéiste - avec de multiples dieux plus ou moins puissants qui s'affrontent - à une religion intellectuellement plus dépouillée où s'opposent le Bien et le Mal.

Cette religion se réfère à un seul Dieu : Ahura Mazda. Son livre est l'*Avesta*, composé, comme la *Bible*, de plusieurs livres. Le but ultime de l'être de vérité est de parvenir à un état particulier appelé *maga*, où il peut rejoindre les Immortels bienfaisants et ne plus faire qu'un avec l'Esprit bienfaisant.

Entre la connaissance védique et l'hindouisme moderne, l'évolution passera par le brahmanisme, c'est-à-dire la religion des prêtres de *sanatanadharma*, la loi éternelle. Le brahmanisme allonge la liste des trente-trois dieux du védisme et fait de Brahma le principe créateur de tout.

Le caractère cyclique de l'Univers est régi par la respiration de Brahma, qui donne naissance à la «trinité» hindoue, *trimurti*, en sanskrit. Elle est formée de *Brahma*, *Vishnou* et *Shiva*.

- *Brahma* est le créateur. Sa partie féminine (son épouse) est *Saraswati*, la déesse de la science, de la parole et de la musique.

- *Vishnou* est le dieu d'amour et le conservateur. Il descend sur terre quand les circonstances l'exigent. Cette descente se dit *avatar* en sanscrit. Les avatars les plus connus sont ceux de Rama et de Khrisna. Certains hindouistes considèrent que le Bouddha est le neuvième avatar de *Vishnou*, et qu'il en viendra un dixième, *kalkin*, pour jouer le rôle de Messie. L'aspect féminin de Vishnou est *Kasmi*, la déesse de la beauté, de la richesse et de l'abondance.

Le Maître Saï Baba lui-même (et ses disciples avec lui) déclare être un avatar de *Vishnou*, ce que nombre d'hindous rejettent. On doit cependant se rappeler que les Juifs qui attendaient le Messie annoncé ne l'ont pas reconnu sur le moment en la personne du Christ. Il ne l'ont fait qu'après sa mort.

Il est indéniable que le Maître Saï Baba joue actuellement un rôle des plus importants au niveau mondial. De plus en plus de personnes détenant des postes clés dans différents ministères, dans les affaires, dans les communications (écrivains, journalistes, etc.) sont des disciples du Maître et ils travaillent à unifier les frères et sœurs de la planète.

- *Shiva* est le dieu de la mort, le destructeur; il est tantôt symbolisé par un phallus (*lingam*, en sanscrit), tantôt représenté avec un collier de têtes de mort à son cou et un trident à la main. Sa partie féminine ou épouse s'appelle *Parvarti* ou *Durga*; c'est la déesse de la justice et de l'équilibre.

Bien entendu, il ne faut pas considérer ces trois dieux comme des êtres ayant des passions humaines. Ce serait trop simpliste. Il faut cependant admettre que cette trinité hindoue revêt une profonde signification symbolique qui peut nous faire mieux comprendre le monde phénoménal dans lequel nous vivons, ainsi que notre véritable nature. Les trois dieux de la *trimurti* sont en fait trois aspects distincts d'un même dieu.

Par-delà tous les dieux, l'hindouisme parvient peu à peu à reconnaître un principe divin unique, à la fois transcendant (au-delà de l'homme) et immanent (à l'intérieur de l'homme), que l'on nomme *Brahman*. Les différentes écoles de pensées hindouistes acceptent la notion du cycle des renaissances.

Selon la philosophie hindouiste, l'être humain est essentiellement *atman*, ou souffle de vie. Il fait partie de l'Univers; celui-ci est régi par le *dharma*, qui désigne l'ordre du monde et obéit à une loi de causalité implacable. Ses actes, bons et mauvais, ont toujours des conséquences qu'il lui faudra assumer un jour, dans cette vie ou dans une autre. C'est la loi du *karman* - le *karma* (acte) - ou rétribution des œuvres.

Lorsqu'une personne meurt, son âme se réincarne dans un être de plus haute ou de plus basse condition, suivant que son *karman* était bon ou mauvais. C'est le *samsara*, le cycle de renaissances. Celles-ci sont, en principe, sans fin. Le but de l'être humain est de parvenir à la libération (*moksha*), en purifiant son *karman* au maximum, jusqu'à identification totale avec la divinité (le Brahman) dans laquelle se trouve le bonheur absolu.

À la fin du *véda* (40 ans av. J.-C.) et du IXe siècle apparaîtront les *Upanisads*, au nombre de 108. Ce sont des textes relativement courts, écrits en sanskrit par divers auteurs.

Dans les *Upanisads*, le sacrifice védique «extérieur» est complètement dévalué: c'est une «action» (*karma*), et toute action, même rituelle, porte des «fruits» d'ordre négatif, car ils contribuent à enliser l'être humain dans les cycles de la métensomatose (*samrara*, ou renaissance). La métensomatose est considérée comme un processus entièrement mauvais, car elle est le fruit de l'ignorance (*avidya*), créatrice des structures du cosmos et de la dynamique de l'existence. Le contraire de l'ignorance, c'est la connaissance, la gnose (*jnana*) qui délivre en démêlant l'écheveau embrouillé de nos vies.

Nous retrouvons ces concepts des *Upanisads* dans les textes gnostiques des premiers siècles de notre ère, ainsi que dans l'enseignement des grands maîtres de ce monde.

Puis arrive le *Védanta*, proposé au VIIIe siècle de notre ère par Shankara; il repose sur le non-dualisme (*advaïta*). Il s'agit d'arriver à comprendre, par l'étude et la méditation, que la réalité est unique et qu'en dépit des apparences, les âmes et l'absolu ne font qu'un.

Parmi les philosophies indiennes, l'*Advaïta védanta* est le système de pensée le plus largement accepté et l'un des plus achevés qui puisse se trouver tant en Orient qu'en Occident.

Vient ensuite le yoga, de Patanjali, qui préconise des méthodes concrètes pour parvenir à l'union avec l'absolu: une posture correcte (la fameuse position du lotus), la maîtrise du souffle (qui pacifie le corps) et une concentration mentale (qui permet de faire abstraction du corps). La méditation profonde conduit au *samadi*, un état où le corps lui-même est comme fondu dans l'absolu.

La *Bhakti* (dévotion) est un immense courant né du Xe siècle, en réaction aux méthodes précédentes, qui étaient fondées sur une connaissance abstraite et ardue. Religion du cœur, religion du pur amour, elle se manifeste par la dévotion à un dieu, par un désir passionné de s'unir à lui, par une soumission totale à sa volonté. C'est dans ce courant de pensée que se situe la *Bhagavat-Gita*, le livre de chevet du Mahatma Gandhi et l'oeuvre la plus connue de toute la littérature indienne, celle qui reflète l'âme profonde de l'Inde.

À partir du XIXe siècle, de nombreux réformistes se sont efforcés d'ouvrir l'hindouisme aux idées nouvelles et de corriger le système des castes. Ce système provient du *Rig-Véda*, la religion des anciens Aryens qui raconte l'origine mystique à partir de l'Etre suprême : «De sa bouche sortirent les brahmanes, de ses bras vinrent les guerriers, de ses jambes, les laboureurs et de ses pieds naquirent les serviteurs.» Les castes se répartissent ainsi les rôles : les brahmanes sont voués à l'étude et à l'enseignement; les guerriers défendent et régissent la société; les commerçants et les agriculteurs la nourrissent; les travailleurs manuels sont les serviteurs des autres. Restent ceux dont le métier est impur : les éboueurs, les tanneurs, les personnes qui nettoient les latrines, etc.; ils sont hors caste ou intouchables. On appartient à une caste de par sa naissance et on y reste jusqu'à la mort. Seule la réincarnation permet de s'élever dans cette échelle sociale ou d'en descendre.

De nombreuses personnes ont fondé des *ashrams* célèbres, dont le Mahatma Gandhi, connu pour son action en faveur des intouchables et pour sa théorie de la non-violence.

L'hindouisme, comme bien d'autres religions, possède encore aujourd'hui ses fanatiques et ses extrémistes, qui voudraient faire de l'Inde un état purement hindou. Retenons plutôt cette quête passionnée de l'absolu et l'admirable prière du *Brihad Aranyaka Upanishads*:

De l'irréel, conduis-moi au réel
De l'obscurité, conduis-moi à la lumière
De la mort, conduis-moi à l'immortalité

LE BOUDDHISME

Le bouddhisme est né au VIe siècle av. J.-C., en réaction contre les excès du brahmanisme, contre le système des castes, et surtout contre un formalisme devenu desséchant. Il vient prêcher une sagesse fondée sur la modération des désirs et la bienveillance envers tous les êtres, vertus qui permettent de dépasser la souffrance et la mort, présentes dans toute vie humaine. Parti de l'Inde d'où il a quasiment disparu par la suite, le bouddhisme s'est répandu vers l'est au point de devenir - sous diverses formes - la principale religion d'Asie.

De son vrai nom Siddharta Gautama, Bouddha (qui signifie «l'Illuminé») a vécu de l'an 480 à l'an 560 av. J.-C.). Fils d'un prince du clan des Shakya (caste de guerriers), il est né à Kapilavastu, dans l'actuel Népal. Vérités historiques et légendes s'entremêlent dans les récits de sa vie. Il vit heureux et bien protégé dans son palais lorsque, au cours d'une sortie, il rencontre un vieillard décrépit, de même qu'un malade et un mort que l'on s'apprête à incinérer. Alors qu'il est encore désorienté par ces rencontres, il fait la connaissance d'un moine à l'air serein. Abandonnant palais, femme et enfant, il décide de chercher la voie de la libération[1].

Sous la conduite des ascètes hindous, il s'adonne à des pratiques de mortification très sévères, main en vain. À bout de forces, il renonce à cette autotorture pour s'installer sous un arbre et méditer sur ses propres expériences. Cet arbre sera connu plus tard sous le nom de *Bodhi* (l'arbre de la connaissance). Il y restera quarante-neuf jours, après quoi il atteindra l'illumination. Il prêche à Bénarès son premier sermon, qui marque le début du bouddhisme.

Les disciples affluent, si bien que naît la première communauté monastique. Pendant quarante-cinq ans, il enseignera autant aux rois qu'aux mendiants, sans tenir compte des castes ni des classes sociales, ce qui était révolutionnaire à l'époque. Il meurt à l'âge de quatre-vingt ans, à Kusinara, dans le nord de l'Inde.

Le bouddhisme sera évacué de l'Inde par les brahmanes, dont il détruit l'autorité, pour se répandre vers la Chine et le Japon. Il se divisera en trois voies ou véhicules (*yanas*), que l'on retrouve encore aujourd'hui.

Le bouddhisme Théravada

Le Théravada, ou doctrine des Anciens, aussi appelé *Hinayana* (petit véhicule), est le bouddhisme le plus strict. On le retrouve au Sri Lanka, en Birmanie, en Thaïlande, au Laos et au Cambodge. L'enseignement de base est constitué des quatre nobles vérités[2] et de la prise de refuges dans les trois joyaux que sont le Bouddha, le

1. Cette histoire est racontée en détail dans *Rendez-vous dans les Himalayas, Ma quête spirituelle*, pages 122-125.

2. Voir tome 1, p. 124.

dharma et la *sanga*. Cet enseignement préconise une ascèse, très individualiste, dont l'idéal est l'*arhat* (saint) qui est parvenu à une totale maîtrise de soi. Le moine, ou bonze, vit dans un monastère, suit une règle très stricte (méditation, silence, solitude), mendie sa nourriture et est tenu au célibat. Mais il peut retourner à la vie civile quand il le veut.

Le bouddhisme Mahayana

Le bouddhisme Mahayana, ou grand véhicule, élargit les perspectives et s'adresse à tous les laïcs. Alors que le Théravada ne parle que de libération individuelle, le Mahayana donne comme idéal le *bodhisattva* (l'éveillé) : il s'agit d'un sage qui, ayant atteint l'illumination, pourrait entrer dans le nirvana mais choisit de rester ou de revenir volontairement sur la terre pour montrer la voie menant à la libération. L'un des *bodhisattvas* les plus célèbres d'Asie est Kuan Yin, la déesse de la compassion, l'équivalent pour les Tibétains du Bouddha *Avalokiteshvara*.

La vraie nature de Bouddha se manifeste sous diverses formes ou divers corps mystiques, cosmiques, de sagesse, de compassion... Le corps physique du Bouddha historique n'était qu'une de ces manifestations. La nature profonde de l'être humain coïncide avec l'essence de la bouddhéité, que l'on peut encore appeler «divinité».

Le bouddhisme Vajrayana

Le bouddhisme Vajrayana, ou voie du diamant, ou bouddhisme tantrique, est la forme tibétaine de cette religion. Son originalité vient de ce qu'il affirme que les passions humaines ne sont pas mauvaises en soi mais qu'elles peuvent, lorsque correctement utilisées, constituer un moyen d'atteindre l'illumination. Le Vajrayana utilise beaucoup les supports matériels pour favoriser la prière : les mantras sont de courtes invocations répétées des dizaines de milliers de fois; les *mudras*, ou gestes d'offrande, sont prolongés par des drapeaux et des moulins à prière; les *mandalas*, ou dessins géométriques, sont destinés à canaliser l'imagination, l'amenant de la périphérie, qui représente l'Univers, au centre, qui symbolise la sagesse absolue.

Le zen japonais

En arrivant en Chine, le bouddhisme a été influencé par le taoïsme, ce qui a donné naissance au *Ch'an* (méditation). Au XIIe siècle, celui-ci s'est répandu au Japon, où il est devenu le zen.

Le zen ne comporte ni dogme ni précepte. Son objectif fondamental est l'illumination spirituelle, appelée *satori*. Celle-ci se produit de façon soudaine lorsque la conscience, devenue totalement désintéressée et transparente, se laisse envahir par la nature de Bouddha.

Le moyen essentiel pour arriver à cette conscience pure est une méditation de plus en plus profonde, favorisée par la pratique des postures adoptées.

L'exercice fondamental consiste à faire *za-zen* (za : s'asseoir, zen : méditation), suivant un rituel très précis s'effectuant sous la conduite d'un maître. On arrive ainsi progressivement au total détachement de soi, ce qui confère une liberté intérieure et une assurance extraordinaire.

Cette pratique véhicule tout un art de vivre, qui a imprégné la culture japonaise en des domaines aussi variés que la cérémonie du thé, l'art des jardins, la peinture, etc. Bref, tous les domaines où l'on atteint la perfection par la parfaite maîtrise de soi.

Laissons momentanément de côté les religions et philosophies d'Orient et penchons-nous maintenant sur ce qui a été le berceau de notre propre civilisation.

Le judaïsme, le christianisme et l'islam sont trois des grandes religions dites «révélées». Toutes trois professent nettement qu'il n'y a qu'un Dieu. La filiation de ces religions est évidente : elles se réfèrent toutes à Abraham.

LE JUDAÏSME

Ses origines remontent aux années 1850 à 1250 av. J.-C., alors qu'un chef de clan, Abraham, eut la révélation d'un Dieu unique, avec lequel lui et ses descendants ont fait alliance.

Avec Abraham commence donc, pour le peuple élu, un engagement de vie inscrit dans sa chair par la circoncision, l'obéissance à Dieu et la fidélité de génération en génération. Ce privilège d'être le peuple élu ne confère aucune supériorité au peuple hébreu, mais plutôt un surcroît de responsabilités : *Si je l'ai distingué*, dit Dieu en parlant d'Abraham, *c'est pour qu'il prescrive à ses fils et à sa maison d'observer la voie de l'Éternel en pratiquant la justice et le droit.* (Gen. 18-19)

Par cette alliance, ce n'est pas seulement un individu, mais le peuple tout entier qui se voit investi d'une mission «sacerdotale». Dans l'histoire du salut telle que nous la livrent les récits de la *Bible*, le Dieu unique avait conclu une première alliance avec l'humanité après le déluge.

Les juifs ne reconnaissent les chrétiens que dans cette alliance globale de Dieu avec l'humanité, par l'intermédiaire de Noé. Bien que reliée plus directement au peuple faisant l'objet de la promesse, l'alliance proposée par Dieu est universelle. Ainsi, toutes les nations de la terre trouveront une bénédiction en Abraham.

Vers l'an 1700 av. J.-C., la famille d'Abraham, chassée par la famine, s'est réfugiée en Égypte. Environ cinq siècles plus tard, les Hébreux formaient un peuple particulier. Moïse lui a donné droit de cité en le libérant de l'esclavage. C'est également Moïse qui, selon la tradition juive, a reçu de Dieu le Décalogue ou les dix commandements sur le mont Sinaï.

L'alliance avec Moïse s'est poursuivie. En fonction de quoi le peuple juif trouve encore aujourd'hui sa raison d'être dans le dessein de Dieu. Les fils d'Abraham, Isaac et Ismaël, ont reçu les mêmes promesses d'une descendance nombreuse. Ils sont à l'origine de deux familles religieuses : la juive et la musulmane. Par Ismaël, Abraham est le père du peuple du désert, les musulmans, et par Isaac, il est celui du peuple de la Promesse, le peuple juif.

La doctrine du judaïsme, qui sert de base au christianisme et à l'islam, est : Dieu est unique, tout-puissant et éternel. Il a créé le monde.

L'homme est incapable de connaître Dieu, sauf dans la mesure où celui-ci se révèle. Or, la volonté de Dieu s'exprime: soit qu'il parle directement à certains hommes, soit qu'il en inspire d'autres qui parlent en son nom et qui sont ses prophètes. Dieu guide ainsi la progression infinie de l'humanité, mais il laisse à chaque homme sa liberté, son libre arbitre. La loi de Dieu n'est pas imposée, mais la personne qui l'enfreint en subira les conséquences.

L'objectif est un règne de paix et de justice qui s'établira sous l'égide d'un homme: le Messie choisi par Dieu, descendant du roi David. L'humanité vivra alors dans l'abondance, et le peuple juif verra la fin de son exil.

LE CHRISTIANISME

Il y a bientôt 2000 ans, la naissance d'un Juif, Jésus de Nazareth, allait bouleverser l'histoire de l'humanité. Depuis, des millions de croyants ont témoigné et témoignent encore de leur foi en un Christ venu apporter le salut de l'homme et annoncer l'amour de son Père.

Au cours des siècles, les disciples de Jésus se sont réunis puis se sont dispersés, pour fonder des Églises tantôt unies, tantôt rivales. Ils ont cru, ils ont douté. Ils se sont affrontés, élaborant des théologies marquées par les cultures et les événements. Ils se sont aimés et détestés. Fous de bonheur, parfois maladroits, ils ont couru le monde pour crier à «ceux qui ne le savaient pas» : *Nous sommes tous sauvés!* Ainsi est né le christianisme.

Lorsque Jésus naît, en l'an 4 avant notre ère, la Palestine est sous occupation romaine, et Auguste en est l'empereur. La culture latine y est omniprésente. Tout en ayant son propre statut politique, la Judée est province d'empire. La Galilée, elle, jouit d'un peu plus d'indépendance. Dans ce contexte, les tendances et mouvements religieux ou politico-religieux s'opposent :

- Il y a les **saducéens** conservateurs et riches collaborateurs de l'occupant romain, qui sont les détenteurs du pouvoir religieux.

- Les **pharisiens** sont des commerçants, des artisans, scrupuleux observateurs de la loi, qui se font les gardiens de l'orthodoxie juive.
- Les **esséniens**, qui se sont retirés dans le désert pour se livrer à la prière et à l'étude de l'ascèse[1].

- Les **zélotes**, une secte nationaliste toujours prête à lancer des actions contre les Romains.

Le peuple juif reste cependant uni dans son rejet de l'occupant, et surtout dans la conscience de son identité, soutenue par son histoire. Sa fierté lui vient de l'assurance qu'il a d'être le peuple choisi par Dieu, celui qui a reçu la Promesse de la venue d'un Messie sauveur. Cette espérance a traversé toute l'histoire d'Israël.

À cette époque, l'attente est exacerbée par l'occupation romaine, insoutenable pour la fierté et la pureté du peuple juif. C'est alors qu'un réveil religieux se dessine, proposé par des disciples de Jean le Baptiste qui appelle à la conversion. Jean fut l'un des premiers à discerner en Jésus le Sauveur attendu. Le peuple, lui, comptait sur un Messie qui le délivrerait de l'oppression romaine.

Le nom de ce Messie est «Jésus», qui signifie, en araméen, «Dieu sauve». On accole à ce nom l'adjectif grec *christ*, c'est-à-dire «marqué par l'onction».

Jésus est né à Bethléhem, en Judée. Il a reçu, au départ, la même éducation que les petits juifs de son temps. Il a participé aux pèlerinages annuels au temple de Jérusalem et a été familiarisé avec les Écritures et le respect de la loi.

Jésus n'a jamais renié son appartenance religieuse. *Je ne suis pas venu abolir la Loi,* dit-il, *mais l'accomplir.* Mais la loi dont parle Jésus n'est pas la loi des hommes; il s'agit de la loi divine ou universelle.

---

1. *Ascèse*: ensemble d'exercices visant le perfectionnement spirituel.

Il a environ trente ans[1] lorsqu'il commence son ministère. Pendant trois ans, il parcourt la Palestine, annonçant la Bonne Nouvelle à ses disciples. Les foules accourent pour l'entendre.

«Heureux! Heureux! proclame souvent Jésus. Ce bonheur qu'il promet s'adresse à«ceux qui sont pauvres, à ceux qui pleurent...» Comment le peuple de Palestine, malheureux, opprimé et humilié n'y prêterait-il pas une oreille attentive, surtout quand Jésus parle de **libération**? Certains veulent le sacrer roi, mais Jésus s'en défend. La libération qu'il annonce est totale: plus de souffrance, plus de mal.

Rappelons-nous que dans l'hindouisme aussi, le but de l'homme est de parvenir à la libération, alors qu'avec les bouddhistes, la suprême libération des cycles de renaissances prend le nom de «bouddhéité».

Jésus dit qu'un temps viendra où, complètement réconciliée avec Dieu, la création jouira d'un bonheur sans mélange et sans fin. Le Dieu dont parle Jésus en est un d'amour et de tendresse, et non un Dieu vengeur tel qu'il avait été présenté jusque-là.

Jésus promet d'envoyer l'Esprit, pour accompagner ses disciples dans leur recherche de vérité et leur donner la force de transmettre son message au monde entier. Ceux-ci ne comprennent pas vraiment ses paroles.

Ce Jésus libérateur du mal connaît un succès qui inquiète le pouvoir religieux de l'époque. C'est pourquoi il sera condamné à mort et exécuté, à Jérusalem, par l'occupant romain qui cède ainsi à la pression des prêtres juifs très influents.

Bouleversés par ces événements, les disciples éprouvent le besoin de resserrer les rangs, de se remémorer actes et paroles de Jésus. Ensemble, ils reçoivent l'Esprit promis par le Christ et commencent à comprendre, à célébrer et à enseigner le message légué par leur Maître. Ainsi est née l'Église.

Le christianisme se propage à travers l'empire. Les fameuses voies romaines deviennent chemins d'Évangile. Remplis de la force de l'Esprit, les fougueux disciples de Jésus vont s'y lancer

---

1. Pour connaître la vie de Jésus, de son enfance à l'exercice de son ministère, j'invite le lecteur à lire *L'Évangile du Verseau*, de Louis Colombelle, Éd. Leymarie.

avec un dynamisme inattendu de la part de gens humainement peu préparés à s'engager dans une telle aventure.

À l'époque où le christianisme n'était qu'une secte juive, Jésus était vu comme un simple prophète par les autres sectes qui ne croyaient pas à la résurrection. C'est Paul de Tarse qui a mis la résurrection au centre du message.

Ce génial idéologue du christianisme était doté d'une personnalité complexe. Issu d'une riche famille juive, il avait reçu une éducation classique et avait été instruit des préceptes de la *torah*. Citoyen romain et pharisien, il n'était pas un disciple ou un apôtre de Jésus; au contraire, il commença par persécuter les chrétiens.

Mais un jour, sur le chemin de Damas, une lumière descendit tout à coup du ciel et l'aveugla. Il tomba par terre et entendit alors une voix qui lui disait : «Saul (Paul), pourquoi me persécutes-tu?» Il répondit: «Qui es-tu, Seigneur?» Puis, tremblant et saisi d'effroi, il poursuivit : «Seigneur, que veux-tu que je fasse?» Et le Seigneur de lui ordonner : «Lève-toi, entre dans la ville, et on te dira ce que tu dois faire.»

Paul se releva et quoique ses yeux fussent ouverts, il ne voyait plus. On le conduisit à Damas, où il resta trois jours sans voir, sans manger et sans boire. Ce fut Ananias, l'un des disciples de Jésus, qui, en lui imposant les mains, lui rendit la vue.

Paul fut converti. Il devint un adepte passionné de ce Jésus qui lui était apparu sur la route de Damas. Il entreprit alors des voyages périlleux dans l'Est méditerranéen où il fonda des communautés de croyants. Autour de l'an 48, Paul et ses collègues s'embarquèrent pour l'Europe après avoir passé deux ans en Asie Mineure. Ils fondèrent les Églises de Philippe, de Thessalonique et de Corinthe. (Actes 9,1)

Si nous faisons ici une pause, nous constaterons que durant toutes ses années de vie publique, Jésus n'a agi qu'en tant que messager. Il n'a essayé de convaincre personne mais il s'est adressé, comme il le disait lui-même, à ceux qui avaient des yeux pour voir et des oreilles pour entendre.

Le parti judaïsant de Jérusalem, qui conçoit le christianisme comme une branche du judaïsme, requiert la circoncision et le respect des prescriptions de la *torah*. Paul prend alors le pari audacieux d'affranchir le christianisme du judaïsme, en opposant le régime de la loi à la liberté dont jouit le chrétien sous le régime béni de la foi. Il avertit les chrétiens de ne pas se laisser acheter mais de garder leur liberté de pensée pour suivre le Christ qui est amour plutôt que loi du pouvoir.

> *Je tiens à déclarer encore une fois à tout homme qui se fait circoncire qu'il est obligé d'obéir à la loi tout entière.*
>
> (Gal. 5, 3)

Ce moment de crise et de tension entre Paul et l'Église-mère de Jérusalem, conduite par Jacques, le frère de Jésus, et par l'apôtre Pierre, fait l'objet de l'Épître de Paul aux Galates d'Asie Mineure, vers l'an 53. Un conflit éclate entre Paul le missionnaire et Pierre, à qui Jésus a confié la responsabilité de l'Église. Le Christ avait prévu ces dissensions et il l'avait d'ailleurs fait savoir :

> *Vous croyez maintenant? Eh bien, le moment vient, et il est déjà là, où vous serez tous dispersés, chacun dans sa maison, et où vous me laisserez seul. Non, je ne suis pas vraiment seul, parce que le Père est avec moi. Je vous ai dit tout cela pour que vous ayez la paix dans l'UNION avec moi. Vous aurez à souffrir dans le monde. Mais soyez courageux! J'ai vaincu le monde!*
>
> (Jean, 16, 31-33)

Il y eut de nombreuses polémiques sur la foi et la culture! Tout au long de son histoire, l'Église restera un lieu de débats passionnés portant sur la théologie, le dogme, la morale, les engagements politiques, la culture, etc. Finalement, Paul l'emportera. Sans l'ouverture manifestée par cet apôtre, qui était animé par l'Esprit de Jésus, le christianisme n'aurait sans doute été qu'une secte juive vouée à l'échec.

Les activités de Paul à Éphèse lui valent d'être emprisonné. On le retrouvera plus tard à Corinthe, où il préparera sa mission espagnole et italienne. Arrivé à Rome autour des années 60, il y sera décapité sous le règne de Néron, vers l'an 67.

Le canon chrétien a mis à peu près quatre siècles à se constituer. Trois Évangiles ont été écrits en grec. Seul celui de Matthieu l'a été en araméen, en l'an 70 et 80, pour être ensuite traduit en grec. Marc est un disciple de Pierre et il en reflète la prédication. Son Évangile a été écrit entre 65 et 70. Quant à celui de Luc, un disciple de Paul, il a été écrit pour les Grecs. Seulement deux évangélistes, Jean et Matthieu, faisaient partie des douze apôtres.

Ces trois premiers Évangiles sont appelés «synoptiques», en raison de la similarité de leur approche concernant la vie de Jésus. Très différent est l'Évangile du mystique Jean, qui scrute le mystère du Christ. Son texte date de l'an 90 environ, au moment où des contestations sont dans l'air au sein des diverses communautés.

Les Actes des Apôtres, écrits par Luc, retracent la vie des premières communautés et décrivent les premières missions, surtout celle de Paul.

Viennent ensuite les Épîtres, qui étaient des lettres. Celles de Paul ont été écrites avant les Évangiles. On y retrouve la base de ce que sera la théologie chrétienne. À celles-ci se sont ajoutées celles de Pierre, de Jacques, de Jean et de Jude. Au total, 21 Épîtres.

L'Apocalypse, écrite par Jean, annonce le retour du Christ à la fin des temps. C'est elle qui clôt la liste du Nouveau Testament, un terme qui signifie «Nouvelle Alliance de Dieu avec les hommes.»

Dans toute cette littérature, l'Ancien Testament est souvent interprété de manière allégorique comme une prophétie concernant la venue du Messie Jésus-Christ. Son inclusion dans le canon chrétien a été rapidement contestée par le théologien Marcion de Sinope (55 - 155 ans) qui affirme que le Nouveau et l'Ancien Testament ne sauraient prêcher le même Dieu. Il ne fait qu'accentuer ainsi la brèche déjà entamée par Paul entre juifs et chrétiens. Marcion sera cependant défait par l'orthodoxie, qui n'entend pas renoncer à l'héritage judaïque, sous prétexte que l'héritage biblique est la préfiguration du salut mis en marche par Jésus et de sa mission historique. Enlevez l'Ancien Testament, semble dire l'Église, et l'homme Jésus disparaît.

Les enseignements de Jésus étaient tellement basés sur l'amour que tout ce qui pouvait soulever l'intérêt dans le judaïsme était l'annonce de sa venue. D'un côté, les juifs voulaient sauver à la fois leur héritage religieux et leur statut de peuple élu. De l'autre, les chrétiens tenaient à ce que le message du Christ reste vivant. On a donc fait le mariage du judaïsme et de la chrétienté, ce qui a donné lieu à la tradition judéo-chrétienne, qui prévaut encore de nos jours.

Au IVe siècle, deux événements majeurs ont marqué le christianisme.

Le premier est la proclamation de l'Édit de Milan, en 313, par lequel l'empereur Constantin met fin aux persécutions contre les chrétiens. À partir de cette date commence une longue phase historique marquée par l'interférence du pouvoir temporel dans le domaine spirituel. Grâce à Constantin, le christianisme accède enfin au statut de religion d'État. C'est l'empereur qui convoque les conciles, et les évêques sont élus pour leur apport politique et non pour leurs vertus. Ce n'est même pas l'Église qui a défini la loi orthodoxe, mais bien Constantin, en 325, au concile de Nicée. Le lien entre l'Église et l'État était établi. Ce qui plaisait à l'empereur, voilà ce qui était acceptable. Ceux qui croyaient autre chose étaient déclarés fous et hérétiques, et condamnés, par conséquent, à souffrir les pires tortures. L'hérésie (ce qui est contraire à la foi chrétienne) était devenue un crime passible de peines allant de l'emprisonnement à la torture. Nous n'étions qu'en l'an 325; pourtant, on était déjà très loin de l'enseignement du Christ qui préconisait: *Aimez-vous les uns les autres comme je vous ai aimés.* (Jean 15)

Le second événement fut le transfert de la capitale de l'empire de Rome à Byzance - devenue Constantinople par la suite, puis Istanbul -, en l'an 330, par Constantin, ce qui a donné au christianisme un deuxième pôle d'influence et de culture,et qui a créé de la mésentente entre Rome et Constantinople.

Ce n'était pas pour autant la fin des difficultés pour le christianisme, puisque ce mouvement religieux connaîtra par la suite trois grandes ruptures : entre les Églises orientales, au Ve siècle; entre Rome et Byzance, au XIe siècle; puis en Occident, au XVIe siècle, avec la réforme. De ces ruptures sont nées les Églises préchaldéennes, catholique,orthodoxe, protestante, anglicane et leurs dérivées.

La première rupture

Ce fut le débat sur la divinité de Jésus qui provoqua la première discorde. Le premier épisode de cette saga mettait en cause Arius, un prêtre d'Alexandrie qui affirmait que le Christ ne pouvait être Dieu. Le concile de Nicée, en 325, condamna cette doctrine en affirmant la divinité de Jésus-Christ.

Une seconde discorde se développa autour de la question de l'union des natures humaine et divine en la personne du Christ. Nestorius, l'évêque de Constantinople, soutenait la dualité des deux aspects, au point de dire que Marie, la mère de l'homme Jésus, ne pouvait être la mère de Dieu.

Le troisième épisode, enfin, portait sur la reconnaissance de la nature humaine de Jésus. Le concile de Chalcédoine, en 451, condamna Eutychis, un moine de Constantinople qui s'opposait au pape Léon 1er sur cette question. Ce dernier soutenait que les natures humaine et divine de Jésus étaient unies et que la différence de ces natures n'était nullement compromise par leur union. Ces prises de position divergentes provoquèrent un schisme à partir duquel naquirent les Églises préchaldéennes (copte, arménienne et jacobite).

La seconde rupture

Jusqu'au XIe siècle, la mésentente entre Rome et Constantinople ne va cesser de s'accentuer au fil de crises plus ou moins graves.

À Rome, on parle et on pense latin. À Constantinople (Byzance), on parle et on pense grec. Deux types de société s'opposent. À Rome siège le pape, qui souhaite asseoir sa primauté et affirmer son pouvoir juridique direct sur les Églises locales. À Constantinople, la notion d'autorité dans l'Église est collégiale, et on ne reconnaît au pape qu'une autorité morale. La dissension, longtemps mûrie, finit par éclater.

En 1054, l'Église de Rome et celle de Constantinople se séparent. Cette dernière prend le nom d'Église orthodoxe (conforme à la juste doctrine) et entraîne dans son orbite les Églises d'Europe orientale. L'Église de Rome prend alors le nom de «catholique romaine» qui vient du grec *katholicos* : universel.

La troisième rupture

La troisième grande rupture, comme les précédentes, a des causes culturelles et politiques, mais elle est aussi le résultat d'un relâchement spirituel dans l'Église catholique.

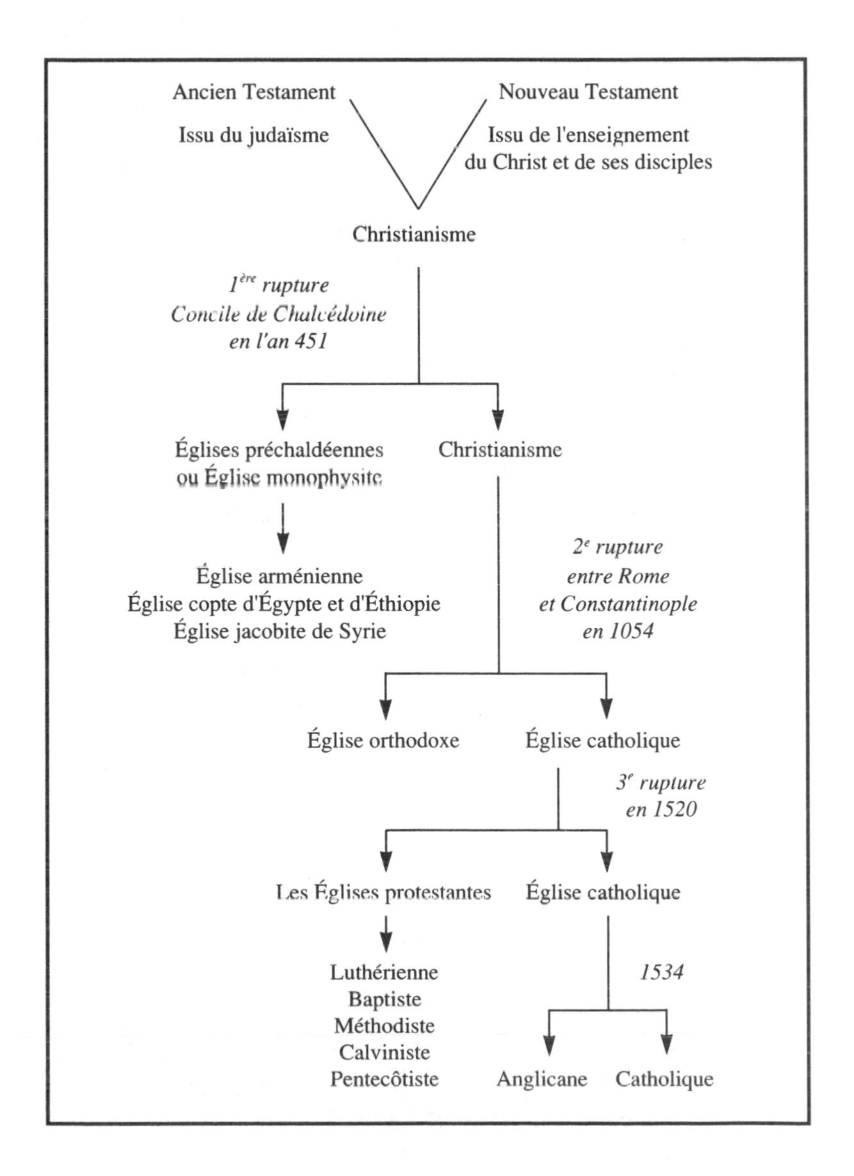

Au début du XVIe siècle, l'Église catholique souffrait des multiples maux qu'engendre une situation de monopole. La prêtrise était souvent considérée plus comme une situation que comme la réponse à l'appel de la vocation. Le relâchement des mœurs chez une partie du clergé de même que la compromission de certains évêques avec le pouvoir politique étaient devenus insupportables pour tout chrétien épris des vertus évangéliques; la vénération de soit-disant reliques de saints devenait une véritable superstition animiste; le trafic de privilèges religieux, dans ce monde ou dans l'autre, était la source de juteuses tractations financières.

Une réforme pour instaurer plus de rigueur et de pureté s'avérait indispensable. Cette réforme devait naturellement porter sur la pratique de la religion, qui avait été déformée par les abus, mais elle ne semblait pas devoir en toucher les principes. Certains réformateurs radicalisèrent cependant leur position. Pour parer à tout excès d'influence de l'Église sur les fidèles, ils réclamèrent notamment un retour à l'Écriture Sainte et insistèrent sur le fait que le salut de l'homme se trouvait entre les mains de Dieu seul.

Le début de la rupture fut amorcé par un geste posé par Luther, un moine théologien. En 1517, il avait affiché, à la porte d'une église de Wittemberg, un manifeste contre le trafic des indulgences. (Il s'agissait là de sommes déterminées par le clergé et dont les fidèles devaient s'acquitter afin de s'éviter des peines dans l'au-delà pour les péchés commis.) En 1520, Rome crut pouvoir étouffer la contestation qui menaçait ses positions en condamnant Luther.

Celui-ci adopta alors des positions plus radicales. L'unité craqua de partout, en Occident cette fois... La doctrine de Luther, composée de six thèmes majeurs, se répandit d'abord en Allemagne, puis elle gagna les pays baltes et scandinaves ainsi que la Suisse.

Outre les Églises luthériennes et réformées, la Réforme donna naissance à d'autres Églises: baptiste, adventiste, presbytérienne, méthodiste, évangélique, pentecôtiste, etc., puis enfin à l'anglicanisme, qui est né du désaccord entre le roi d'Angleterre Henri VIII et le pape Clément VII qui lui refusait le droit de se séparer de sa femme, Catherine d'Aragon. Henri VIII se nomma alors lui-même chef de l'Église d'Angleterre, en 1534.

L'ISLAM

Le mot «islam» provient de la quatrième forme verbale de la racine *aslama*, qui signifie «se soumettre» (soumission à Dieu), et *muslim*, qui signifie «musulman» et qui en est le participe actif (celui qui se soumet à Dieu). L'islam est la plus jeune des cinq grandes religions de ce monde; elle remonte à six cent vingt-deux ans après Jésus-Christ. Près d'un milliard de musulmans dans le monde «s'abandonnent à Dieu». Leur vie est dictée par le Coran, la révélation faite à Mahomet par l'ange Gabriel envoyé par Dieu. Elle ne sépare pas vie religieuse et vie temporelle.

Sur le plan théologique, l'islam est un «message», au même titre que le judaïsme ou le christianisme. Mais sur le plan politico-sociologique, cette religion offre une grande diversité liée à des sensibilités culturelles et à des situations économiques différentes.

Avant l'avènement de l'islam, l'Arabie était un territoire où se mêlaient le polythéisme sémitique, le judaïsme arabisant et le christianisme byzantin. Allah (Dieu) était vénéré à côté des grandes déesses arabes. La terre, entièrement abandonnée au désert aride, était sillonnée par des caravanes de dromadaires conduites par des bédouins qui reliaient la Syrie au Yémen.

Ces bédouins, nomades ou sédentaires, sont organisés en tribus. Sobres, frugaux, ils se contentent de peu, et leur survie est liée au mouvement. Presque tous les bédouins adorent des idoles et honorent plusieurs divinités. À La Mecque se dresse un sanctuaire (La Kaaba) où sont réunis les déesses et les dieux vénérés. La ville, un haut lieu de pèlerinage, accueille une foule de caravaniers lors des grandes foires.

En 570, naît à La Mecque le futur Prophète. Mahomet (Muhammad) est un pur Arabe dont la famille appartient à un très puissant clan. À vingt ans, Mahomet se met au service d'une riche veuve, Khadija, qu'il épouse cinq ans après. Ce mariage lui confère le rang de notable dans La Mecque.

À l'âge de quarante ans, il se retire dans une caverne à quelques kilomètres de La Mecque. Une nuit, il reçoit la visite de l'archange Gabriel qui lui annonce qu'il a été choisi comme messager de Dieu. Le bédouin est bouleversé jusqu'à en devenir malade. Son épouse le soutient et devient sa première disciple. D'autres membres de sa famille vont aussi croire à sa mission.

Petit à petit, le Prophète recrute des disciples parmi les habitants de La Mecque, mais il se heurte également à la haine et au mépris des riches marchands, car la nouvelle religion ordonne de détruire les idoles et de n'adorer qu'un seul Dieu. L'hostilité de ses adversaires contraint Mahomet à fuir. En 622, il quitte La Mecque pour Médine, en compagnie de ses disciples.

De chef religieux qu'il était à La Mecque, Mahomet devient à Médine un chef politique et militaire, et il organise la communauté des croyants.

Dès sa naissance, l'islam devient une religion d'État. Au sein de la communauté, des coutumes s'instaurent, qui deviendront plus tard sources du droit et du rituel.

En 624, la victoire de Badr contre les Mecquois consacre la suprématie de cette religion en Arabie. Lors de la défaite du mont Ohod, les musulmans tombés au combat reçoivent à titre posthume le titre de *Chahid* (martyr). Désormais, on parle de guerre sainte contre les ennemis de Dieu.

La grande histoire de l'islam est maintenant en marche. En 630, profitant d'une situation favorable, les troupes médinoises s'emparent de La Mecque. Le Prophète entre dans la Kaaba, détruit les idoles et reçoit l'allégeance des habitants de la cité. Deux ans après, Mahomet tombe malade et il meurt à soixante-trois ans, sans laisser d'héritier mâle.

Son livre saint est le Coran, du mot «Qur'an», qui signifie «lecture» ou «récitation». Le texte complet du Coran a été consigné sous les premiers califes. Il consiste en cent quatorze chapitres appelés *surahs* ou sourates. Les deux grands thèmes du Coran sont le monothéisme (la puissance de Dieu) ainsi que la nature et la destinée de l'homme dans ses rapports avec Dieu.

Au jour du Jugement, tous les morts ressusciteront, seront pesés et envoyés en enfer ou au paradis pour l'éternité. Le Coran reprend plusieurs récits bibliques de l'Ancien Testament.

La générosité et la franchise sont recommandées alors que l'égoïsme des marchands de La Mecque est condamné sans appel. Selon le Coran, «Allah» est «celui qui demeure caché», bien que proche de l'homme, «plus près de lui que la veine de son cou». Il est le Seigneur des mondes; unique, absolument transcendant, «il se suffit à Lui-même».

Le Coran codifie certains rapports entre maître et esclave et approuve l'application de la loi du talion (œil pour œil, dent pour dent). Il est à noter que, de son vivant, le prophète n'a jamais effectué de vérification ni de compilation des textes de la Révélation.

Les pratiques fondamentales de la vie religieuse du musulman sont : la prière cinq fois par jour, le jeûne du Ramadan, l'aumône et le pèlerinage à La Mecque. L'islam est très présent dans la vie des musulmans. À la réforme religieuse de Mahomet s'ajoutent des réformes sociales qui sont à la base de la justice civile : des règles régissant le comportement entre époux, des parents vis-à-vis des enfants, des propriétaires d'esclaves, des musulmans envers les non-musulmans.

Le symbole de l'islam, un croissant de lune entourant une étoile, signifie : «Sois comme l'étoile qui jamais ne se détache du croissant fixé par une foi solide.»

Une masse de près de neuf cent millions de personnes unies par une même croyance recouvre fatalement des sensibilités différentes. Cela a donné lieu à trois écoles de pensée (sunnisme, chiisme et kharidjisme) qui se sont elles-mêmes subdivisées.

Cependant, toutes ces écoles règlent les points de droit musulman en se basant sur quatre principes dont l'importance va en décroissant, soit:

- le Coran,
- la tradition ou *sunna* (qui a donné son nom au sunnisme),
- l'analogie avec des cas juridiquement semblables,
- le consensus de la communauté.

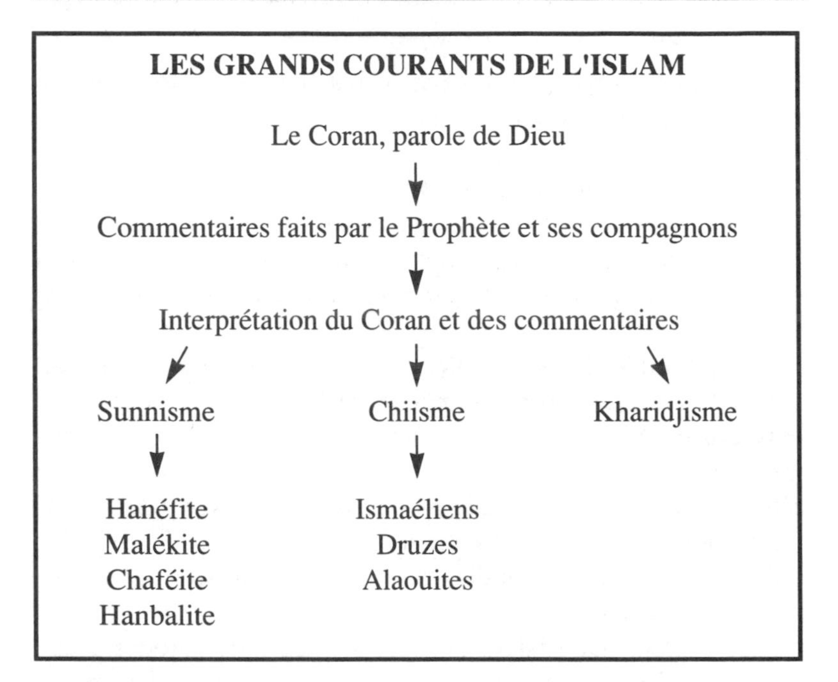

LE SOUFISME

Le soufisme est le mysticisme de l'islam. Il est davantage une philosophie de vie qu'une religion. Le soufi, ainsi appelé parce qu'il portait un vêtement de laine blanche, le *souf*, met Dieu au centre de sa vie. «Assoiffé de Dieu», le soufi est moins soucieux des sciences de la *Suna*, (la Tradition) que de la recherche de la connaissance personnelle de Dieu. Cette expérience spirituelle, accompagnée d'un renoncement au monde, permet de découvrir Dieu au cœur de l'âme humaine, et cette découverte est amour.

Selon les soufis, toute existence procède de Dieu, et Dieu seul est réel. Le monde créé n'est que le reflet du divin, «l'univers est l'ombre de l'Absolu». Percevoir Dieu derrière l'écran des choses implique la pureté de l'âme. Seul un effort de renoncement au monde permet de s'élancer vers Dieu: «l'homme est un miroir qui, une fois poli, réfléchit Dieu.»

Le Dieu que découvrent les soufis est un Dieu d'amour et on accède à celui-ci par l'Amour: «qui connaît Dieu l'aime; qui connaît le monde y renonce. Si tu veux être libre, sois captif de l'Amour.»

Très vite, le soufisme a soulevé l'hostilité des docteurs de la loi, méfiants devant toute rencontre intérieure entre le croyant et Dieu, et devant l'aspect plus humain que revêt la religion lorsqu'elle quitte le chemin de la loi pour emprunter la voie de l'amour.

«Je suis devenu Celui que j'aime, et Celui que j'aime est devenu moi. Nous sommes deux esprits confondus en un seul corps», écrivait Al-Hallaj, un grand mystique soufi mort martyr au Xe siècle.

Quand on approfondit le soufisme, on y retrouve les mêmes enseignements que ceux du Christ.

Qu'est-ce que toutes les religions ont en commun?

Les religions sont avant tout l'expression des efforts constants de l'humanité pour trouver un sens à la vie sur terre. Il s'agit également d'une quête de justice face à la réalité d'une souffrance répartie de façon aussi inégale.

Toutes les religions sans exception reconnaissent un aspect (ou intelligence) supérieur à l'être humain qu'elles nomment Dieu, Yahweh, Brahma, Ishwara, Ahura Mazda, Shiva, Allah, Jéhovah, etc. Qu'elles y accèdent par hypothèses ou par la foi, on constate chez elles une quasi-unanimité pour attribuer à cet ASPECT SUPÉRIEUR des qualités qui semblent indissociables de son existence même, soit :

- Cette intelligence supérieure est éternelle; la mort ne la concerne pas.
- Il n'est limité ni par l'espace (l'omniprésence) ni par le temps.
- Il a une connaissance infinie (omniscience)
- C'est le créateur des mondes visible et invisible.
- Maître du bien et du mal, il est le Juge Suprême des actions des humains.

Le fait de croire à cette Intelligence suprême (Dieu, Allah, Jéhovah, Ahura Mazda, Shiva, Brahma...) peut conduire des êtres à tout lui consacrer et d'autres, à tout simplement s'en accommoder. On retrouve donc partout, en proportions variables, des scrupuleux et des hypocrites, des cérébraux et des sensibles, des inquiets et des confiants, des fanatiques et des libéraux, des manipulateurs et des manipulés.

Ce sont de tels êtres, avec leurs qualités et leurs défauts, qui ont bâti les différentes religions autour d'un maître, d'un prophète, et parfois d'un roi. Même si cette Intelligence Suprême contribue, par ses révélations, à guider telle ou telle religion, l'être humain n'en demeure pas moins confronté au doute et à l'erreur.

Étant à l'image de tout ce que les êtres humains construisent, les religions ne peuvent qu'être imparfaites et susceptibles d'évoluer. Chaque religion demeure donc marquée par la culture de la société qui l'a vue naître.

Cependant, les grandes religions font l'unanimité sur certains points: toutes prônent l'importance de l'observance de la loi universelle basée sur l'amour. Elles croient en effet que la vie humaine ne se limite pas à une vie terrestre et que, par conséquent, nos actes ont une incidence sur notre avenir après la mort.

La liberté dont nous disposons nous expose inévitablement à des tâtonnements et le risque de nous tromper ou de faire le mal est la conséquence de cette liberté. Notre participation à l'oeuvre de la création nous impose donc une responsabilité d'éducation envers nous-même et envers les autres.

Toutes les grandes religions visent le même but: **atteindre le bonheur** par la cessation de la souffrance. Ce que les chrétiens appellent la «Vie Éternelle», les hindouïstes le nomment *moksha*, les bouddhistes, *nirvana*, les soufistes, *fana*. Les zoroastristes, eux, parlent du «Royaume des immortels bienfaisants» et les musulmans aspirent au «Royaume des cieux».

Pour faire un gâteau, il faut du lait, de la farine et des œufs, auxquels on ajoute le levain. On peut ensuite faire une variété de gâteaux en y ajoutant tous les ingrédients que l'on désire, selon que l'on veut un gâteau au chocolat, à la vanille, aux épices, etc. Quant à savoir lequel, parmi ces gâteaux est le meilleur, ce n'est qu'une question de goût. Cependant, tous ont la même base: du lait, de la farine et des œufs. Il en est ainsi de toutes les religions, c'est-à-dire:

- La reconnaissance d'un aspect supérieur
- La loi éthique à suivre
- L'objectif : cessation de la souffrance, félicité ou libération

Et le levain dans tout ça, c'est l'**amour**.

Les véritables saints tels que le Bouddha Shakyamouni ou Jésus-Christ ne sont pas venus pour créer une religion, ni pour diviser les êtres ni pour monter une nation contre une autre. Ils ne sont venus que pour nous montrer la voie qui conduit à la pleine réalisation afin d'atteindre la libération. Après le départ de ces Maîtres, ce sont leurs disciples qui ont créé tout un rituel et qui ont fondé une religion à partir de ce qu'ils avaient compris et retenu des enseignements du Maître. Tous les saints véritables qui sont venus dans ce monde ou qui s'y trouvent présentement ont apporté les mêmes enseignements, chacun en leur temps, chacun à leur manière.

Sa Sainteté le Dalaï-Lama affirmait: «La religion ne devrait jamais être source de conflits... Ce n'est pas un nom de lama, de toulkou ou de gourou qui fera un bon guide, ce sont ses qualités. Si on ne trouve pas chez lui ces qualités, quel que soit le titre qu'il porte, il faut le quitter sans hésitation. Nous n'avons pas à suivre un maître à cause de son rang ou de sa position. La Loi Universelle (*dharma*) implique cette totale liberté. Quels que soient le maître ou la tradition, l'esprit doit garder son ouverture et sa liberté. C'est sa nature.»

Le Bouddha exhortait les humains à s'affranchir de toute obéissance aveugle, y compris celle relative aux textes religieux de son époque. Il disait: «La dépendance amoindrit la faculté d'intelligence et limite notre liberté d'action.» C'était également ce que professait Jésus-Christ, c'est pourquoi il fut rejeté par les prêtres de son époque. Il disait: «Cherchez et vous trouverez; Frappez et l'on vous ouvrira.» Le disciple doit faire l'effort de chercher, de frapper ou de vérifier. Se laisser convaincre, manipuler ou endoctriner ne demande aucun effort.

Le Bouddha Shakyamouni ne voulait nullement assujettir ses disciples, pas plus qu'il ne souhaitait que ceux-ci dépendent de lui. Il déclarait: «Ne me croyez pas, vérifiez par vous-même; lorsque vous savez par vous-même que quelque chose vous est favorable, alors suivez-le; mais si vous savez par vous-même que quelque chose ne vous est pas favorable, alors renoncez-y.»

La religion est une quête, une révolution intérieure qui nous transforme. Elle est la mort et la résurrection. Pour être vraiment religieux, il faut mourir à son **moi-ego** pour renaître à l'Unité qu'est le Soi. C'est ce que le Christ est venu nous enseigner lorsqu'il a dit qu'il fallait mourir à soi-même pour renaître à la vie éternelle.

Le mot «religion» a été si galvaudé qu'on en est venu à le confondre avec «secte». Ce terme vient du latin *religare* qui signifie : «relier», «réunir» ou «joindre». Une personne religieuse est donc une personne en union avec le divin. Puisque Dieu est TOUT, comment cette personne pourrait-elle affirmer que «sa» vérité est meilleure que celle d'une autre puisque Dieu est UNITÉ?

L'erreur a été d'expliquer la religion comme un ensemble de croyances et de dogmes définissant le rapport de l'homme avec le sacré. Cette définition correspond davantage à une secte. Lorsqu'on se fait la guerre à cause de croyances et de dogmes différents, on ne peut plus parler d'union ni d'unité.

En lisant l'histoire des religions, on se rend bien compte que ce qui a divisé les membres d'une confrérie se réclamant d'un même prophète, maître ou Messie, ce ne fut jamais le message ou l'enseignement du maître, mais la recherche du pouvoir camouflée derrière une supposée idéologie différente.

L'histoire du christianisme en est la preuve. Pourtant, depuis près de deux mille ans, parmi toutes les personnes qui se sont dit disciples du Christ, il y en a toujours eu de profondément sincères. Leur appartenance au Christ était une affaire de cœur, alors que pour d'autres - qui très souvent détenaient les ficelles du pouvoir -, il s'agissait d'une union basée sur des dogmes et des croyances. Cela s'explique par le fait que la personne qui est unie au message du Christ dans son cœur ne recherche nullement le pouvoir.

Le véritable disciple du Christ est celui qui meurt à lui-même pour se donner totalement à l'ensemble, ce qui ne peut s'atteindre que par la maturité spirituelle.

Où sont les vrais prêtres, aujourd'hui? Ils sont dans l'amour d'une infirmière pour ses patients, dans le réconfort d'une thérapeute, d'une psychologue, d'un psychiatre qui accueille la personne avec tout son amour et toute sa compassion, oubliant son titre, son bureau et ses connaissances, pour devenir la confidente, la mère, le conseiller, l'ami de ceux et celles qui souffrent. C'est la religieuse qui chante et s'émerveille devant l'authenticité et la vérité des jeunes, tout en les guidant avec respect dans la voie du bonheur. C'est aussi ce bon curé qui donne du temps à ses paroissiens, qui participe à leur vie sans avoir peur de se relever les manches pour les aider, etc.

Comment ne pas comprendre que ce qui unit et unira toujours les êtres humains, c'est l'**Amour**, et que ce qui les sépare et les séparera toujours, c'est la recherche du pouvoir de l'**ego**.

L'**ego** se nourrit et se délecte de grandes théories, de philosophies et d'idéologies. **Le divin** se nourrit de silence. Dans le silence, il n'y a plus de discours du mental, plus de dualité; il n'y a que l'Unité. Peut-on affirmer que le silence est catholique, bouddhique ou musulman? Seule la parole peut le dire, et la parole appartient davantage à l'**ego**. Le silence dissout l'**ego**, il nous relie au **divin**. C'est pourquoi la véritable prière est pur silence. C'est ce que le Christ voulait signifier en disant : «Si tu veux prier, entre dans ta chambre et ferme la porte.»

Le silence est essentiel lorsqu'on veut accomplir un travail spirituel, car il nous permet d'être attentif. Sans cette attention, nous ne pouvons opérer aucun changement dans nos attitudes, pas plus que nous ne pourrons acquérir la maîtrise. Par ailleurs, cette attention nous aide à développer de nombreuses qualités, dont la délicatesse, la sensibilité, le respect, la bonté. Elle nous conduit vers l'harmonie.

Pour instaurer l'harmonie, il faut tout aimer, et pour aimer, il faut être attentif à tout.

Aujourd'hui, une grande majorité de personnes ne savent plus écouter, car «écouter suppose d'être attentif». L'un des plus beaux gestes d'amour que l'on puisse poser envers une autre personne, c'est de l'écouter en lui accordant toute notre attention. Il en va de même pour tout ce qui vit.

Pour beaucoup de personnes, le silence est synonyme de vide, de solitude; le silence leur fait peur et elles tentent de le fuir. C'est pourquoi, dès qu'elles rentrent à la maison, elles tournent le bouton de la radio ou de la télévision, qu'elles n'écoutent pas d'ailleurs, se contentant d'entendre, car écouter et entendre sont deux choses bien différentes. Entendre ne demande aucune attention.

Et pourtant, la solitude et le silence sont propices à la réflexion. Les fuir, c'est se priver des conditions nécessaires à l'introspection, sans laquelle la vie n'a pas de sens. Plus on évolue, plus on a besoin de silence, car c'est dans le silence que naît la sagesse intuitive qui nous instruit. Et c'est seulement dans le silence que nous pouvons rencontrer le **divin** et connaître la réponse à la question «QUI SUIS-JE?».

Au fil des âges, les religions ont évolué, tout comme l'être humain. C'est pourquoi les peuples demeurés plus primitifs ont axé leur intérêt sur les religions polythéistes, que l'on retrouve dans les différentes formes d'animisme.

La plupart de ces peuples ont la survie comme principale préoccupation. Ils sont peu intéressés à savoir ce qu'ils font sur terre, comment tout a commencé. Ils veulent survivre et ils ont besoin de sécurité pour y arriver. À cet effet, leurs dieux leur apportent cette protection dont ils ont besoin.

Lorsque nos besoins de base sont satisfaits et que nous faisons partie d'un ensemble qui nous assure une certaine sécurité, les questions existentielles se manifestent, à savoir : «D'où venons-nous? Qui sommes-nous? Où allons-nous après cette vie? Comment tout cela a-t-il commencé?»

N'ayant comme expérience que le monde matériel dans lequel nous évoluons, nous ne pouvons imaginer ce dont nous n'avons aucune expérience. Ne trouvant pas de réponse à nos questions, nous acceptons bien volontiers l'idée d'un Créateur, ou être suprême. Ce système dualiste qui comprend «le Créateur et ses créations» correspond au niveau de conscience où l'**ego** est maître».

L'Orient a sacrifié le développement extérieur au développement intérieur, produisant ainsi les plus grands sages du monde. Quant à l'Occident, il a sacrifié l'intérieur au profit de l'extérieur, ce qui a produit les plus grands savants. On ne peut par conséquent être surpris d'assister au développement spirituel de l'Orient au détriment de son développement matériel, ni du résultat inverse en ce qui concerne l'Occident.

C'est ce qui explique que les chercheurs de vérité finissent naturellement par être attirés vers l'Orient et que ceux qui s'intéressent au développement technologique se dirigent vers l'Occident. Cet échange est excellent et il doit être encouragé. L'Orient et l'Occident sont comme l'hémisphère droit et gauche du cerveau.

C'est en s'unissant et en partageant les fruits de leurs découvertes que les êtres humains pourront connaître le bien-être et la plénitude.

Les premières religions furent donc polythéistes, et celles qui ont pris la relève sont monothéistes (zoroastrisme, judaïsme, christianisme, islam, etc.), dans un système dualiste. Par ailleurs, les mystiques nous conduisent au-delà de toute dualité, à une approche non dualiste où Créateur et création sont un; c'est là que réside la réponse concernant notre véritable nature. Ces enseignements, nous les retrouvons dans l'Advaïta-Védanta, dans le taoïsme, le bouddhisme, le soufisme et la kabbale, de même que dans le message du Christ et les enseignements des plus grands Maîtres qui sont venus en ce monde et de ceux qui y sont encore présents.

Le ciel semble limité quand on le voit
entre les murs d'une cour ou quand il se reflète
dans un récipient plein d'eau;
mais vu sous un autre angle,
on réalise qu'il est infini.

La forme du ciel et son importance ne s'altèrent pas
malgré le récipient qui semble les limiter.

Ainsi, l'âme, seule et unique,
qui anime tous les corps et l'existence de billions de créatures
n'est pas influencée par les récipients
auxquels elle adhère pendant un instant.

Saï Baba

Photo reproduite avec la permission de Les DIFFUSIONS LÉO Enr.

NOTRE VÉRITABLE NATURE

Que voyez-vous dans la page de gauche? La vérité est semblable à cette image. Certains n'y voient que des taches noires et, en partant de ces taches, ils se représentent tout ce que leur imagination leur suggère. D'autres perçoivent spontanément l'image et tentent de la montrer aux autres. La personne qui s'entête à ne voir que les taches ne verra jamais l'image; celle qui s'abandonne, même si elle ne distingue pas immédiatement l'image, finira par la déceler.

Il faut des yeux pour voir, des oreilles pour entendre et de l'attention pour découvrir la réalité masquée par l'illusion.

Toutes les grandes religions de ce monde sont comparables à cette image. Les prophètes et les maîtres nous ont transmis la vérité qu'ils avaient reçue. Cependant, au fil des années se sont ajoutés divers éléments qui l'ont rendue plus difficilement compréhensible.

La vérité n'est pas cachée, pas plus que ne l'est la représentation contenue dans cette image. Ce sont nos perceptions erronées qui nous empêchent de la découvrir. Mais dès qu'on la reconnaît, ces fausses perceptions n'ont plus d'emprise; elles ne peuvent plus nous dissimuler la vérité. C'est ainsi qu'on la retrouvera dans toutes les religions, dans tous les grands courants philosophiques et dans l'enseignement de tous les grands Maîtres.

LE MONDE PHÉNOMÉNAL

Dans la Genèse, il est écrit: *Au commencement, Dieu créa le ciel et la terre.*

Mais qui est Dieu, ou qu'est-ce que Dieu? Et que signifie: *il créa le ciel et la terre?*

Le taoïsme, qui remonte du fond des âges et dont le grand Maître a été Lao-Tseu (6e s. av. J.-C.), exprime la même chose à sa manière: *Le principe de l'Univers est le Tao* (l'équivalent de Dieu). Ce Tao est en même temps au-delà de l'univers et présent dans tout être. Il est ultime, absolu, éternel. Son harmonie est assurée par l'équilibre de deux principes à la fois contraires et complémentaires: le *yin* et le *yang*.

Le cercle symbolise ce qui est au-delà de toute dualité, ce qui n'a pas eu de début et n'aura pas de fin.

Le petit catéchisme nous enseignait que Dieu n'a pas eu de commencement, qu'il a toujours été et qu'il sera toujours. C'est pourquoi on lui attribuait le qualificatif d'«éternel».

Du TOUT émergea

le *yin* et le *yang*.

Étymologiquement parlant, le yin serait la partie sud d'une vallée, c'est-à-dire celle qui est tournée vers le nord, et donc à l'ombre, alors que le yang serait la partie opposée, et donc celle qui est exposée au soleil.

On considère alors que tout ce qui peut recevoir ou contenir, tout ce qui est courbe, obscur, froid, passif et intuitif est *yin*. Ainsi en est-il des vases, de la terre, des vallées, de la Lune, de la nuit, de l'hiver, des femmes, des femelles, de l'intuition, du cerveau droit, etc.

À l'inverse, tout ce qui donne, qui est haut, pénétrant, droit, chaud, clair, actif et rationnel est *yang*. Par exemple: les couteaux, le ciel, le Soleil, le jour, les montagnes, l'été, les hommes, les mâles, la réflexion, le cerveau gauche, etc.

Dans la Genèse, il est écrit:

> *Lorsque l'Éternel fit la terre* (yin) *et le ciel* (yang), *aucun arbuste des champs n'était encore sur la terre et aucune herbe des champs ne germait encore; car l'Éternel Dieu n'avait pas fait pleuvoir sur la terre. Mais une vapeur s'éleva de la terre et arrosa toute la surface du sol.*
>
> (Gen. 2.5)

Lorsque le chaud et le froid se rencontrent, il se produit une condensation. Le froid (*yin*) de la terre, s'unissant à la chaleur (*yang*) du soleil, a donné la pluie.

Le produit terre (sec) + eau (humide) rencontrant le ciel (clarté + chaleur) donne un nouveau produit: la verdure.

C'est ainsi que le UN ou l'UNITÉ a donné naissance au DEUX, la dualité ou complémentarité, qui, à son tour, a donné naissance au TROIS, la trinité, et ainsi de suite.

Les hindouistes proposent une approche semblable à celle de la Genèse ou du Tao, mais en la complétant.

Le TOUT,
ici,s'appelle
«Brahma».

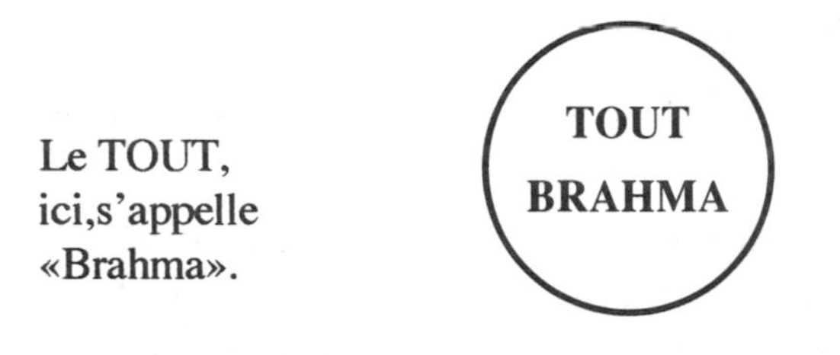

Brahma est le créateur; il donne naissance à deux autres aspects de lui-même, Vishnou et Shiva, que l'on appelle la *trimurti.*

Il s'agit là des trois aspects d'un même principe, ce qui se rapproche assez de notre Sainte Trinité, où le Père, le Fils et le Saint-Esprit sont les trois personnes en Dieu.

L'hindouisme nous dit ceci, concernant la *trimurti*: *Lorsqu'il y a fusion des contraires ou des parties complémentaires, se produit nécessairement la naissance d'une nouvelle création ou d'une nouvelle manifestation qui passe par des cycles.*

Brahma correspond à la création ou à la manifestation: c'est le créateur.

Vishnou est la période de maturation ou de conservation: c'est le conservateur.

Shiva est la période de vieillissement ou de destruction: c'est le destructeur.

Entre Shiva (ce qui se détériore ou se meurt) et le nouveau Brahma (nouvelle création) se trouve une période de transition que nous appelons «pause» ou «mort».

Prenons comme exemple les saisons.

- Le printemps correspond à Brahma: la végétation n'en est qu'à ses débuts.
- L'été correspond à Vishnou: la végétation croît pour atteindre sa maturité.
- L'automne correspond à Shiva: la végétation atteint son stade de vieillissement et «meurt». (La mort de ces éléments servira d'engrais à la terre pour donner de nouveaux produits.)
- L'hiver correspond à la période de transition entre l'automne (Shiva) et le nouveau printemps (Brahma).

C'est ce qu'on appelle les cycles de vie.

Tout ce qui se manifeste, sans aucune exception, passe par ces cycles.

CYCLES	ÂGE	RESPIRATION	SON PRIMORDIAL
Création ou Manifestation	Naissance	Inspiration	A
Conservation ou Maturation	Enfance Âge adulte	Conservation	OU
Destruction	Vieillesse	Expiration	M
Transition	Mort	Pause	Pause

OM ou AOUM est le son originel représentant Dieu, le Tout ou le Tao. Il contient tous les noms et les formes de Dieu en perpétuel mouvement. Il est l'équivalent du AMEN des chrétiens.

Ces cycles de vie sont également représentés par :

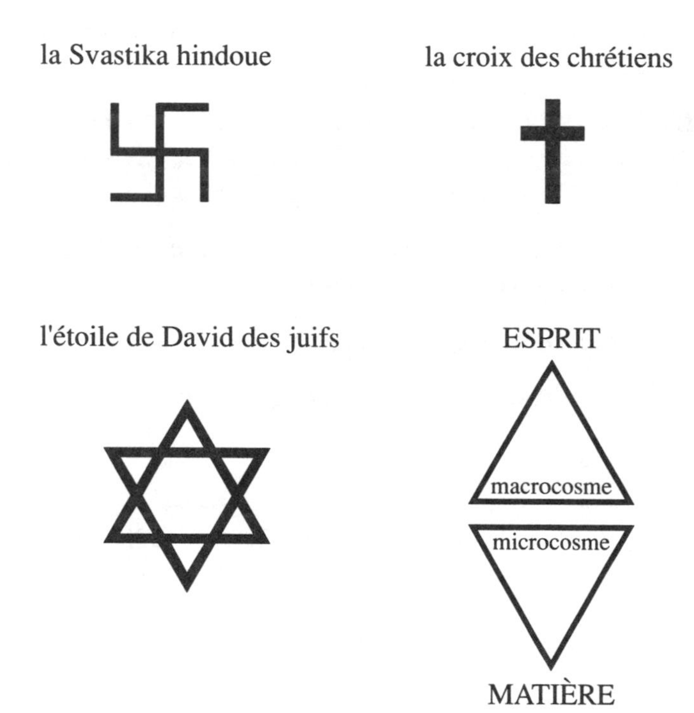

«Tout ce qui est en haut est comme ce qui est en bas, et tout ce qui est en bas est comme ce qui est en haut», ainsi qu'il a été inscrit sur la «table d'émeraude» d'Hermes Trismégiste (trois fois grand).

Nous retrouvons également cette explication dans le mandala des bouddhistes: un centre ayant donné naissance à quatre courants de sagesse-énergie.

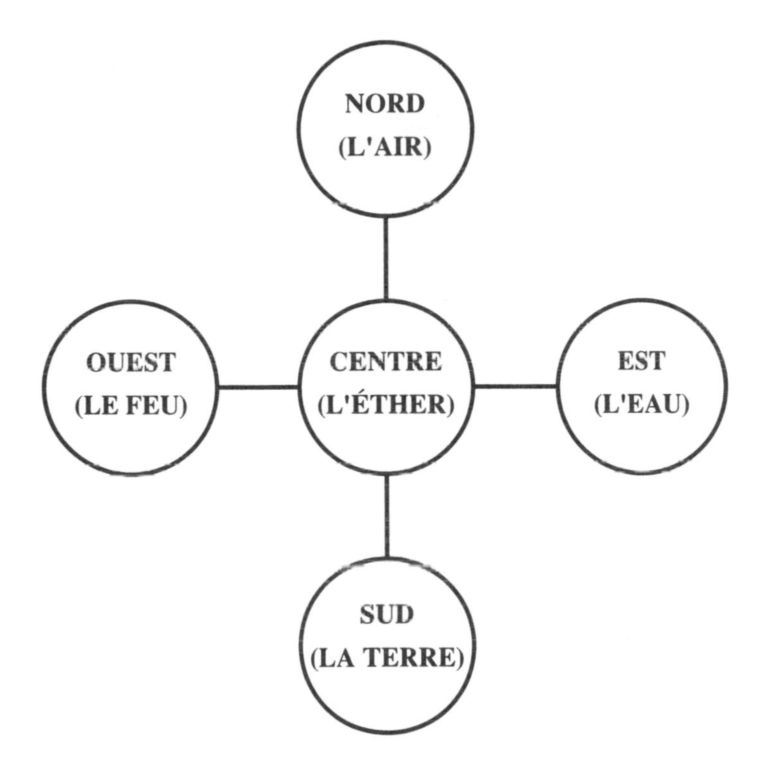

Du point de vue scientifique, nous mentionnons que les atomes sont formés d'un noyau contenant des charges positives (*yang*), appelées «protons», ainsi que des charges négatives (*yin*), appelées «électrons», qui gravitent tout autour.

Chaque sorte d'atome a sa propre combinaison de particules chargées. L'atome d'hydrogène, par exemple, comprend une charge positive et une charge négative; c'est le système le plus simple. Le système du carbone comprend six protons et six électrons. L'azote, quant à lui, compte sept protons et sept électrons, alors que l'oxygène contient huit protons et huit électrons.

L'hydrogène, l'oxygène, le carbone et l'azote sont les éléments de base des êtres vivants.

Qu'est-ce qui nous donne tous les produits du plan physique?

L'union d'un proton (*yang*) et d'un électron (*yin*) donne un TOUT (*yin/yang*) qui, en s'alliant à une autre composition, aboutit à un nouveau produit. Par exemple: l'hydrogène H, en s'unissant à l'oxygène dans la proportion H_2O, donne de l'eau.

H — O — H

Si l'hydrogène se combine avec le carbone, nous obtenons le méthane: CH_4

```
      H
      |
H  —  C  —  H
      |
      H
```

Combiné à l'azote, il nous donne de l'ammoniac: NH_3.

```
      H
      |
H  —  N
      |
      H
```

Cette démonstration nous permet de comprendre que rien n'existe qui ne soit le produit de l'union des éléments *yin* et *yang*. Il en résulte une composition qui, en s'unissant à un assemblage, crée une nouvelle substance, peu importe que cette transformation se produise dans le microcosme ou le macrocosme. Il en a toujours été et il en sera toujours ainsi. Les atomes sont aux substances ce que les lettres sont aux mots. Si nous prenons le nom «Jésus» et que nous lui ajoutons un «i», nous obtenons «Je suis». Remplaçons un «s» par un «t» dans un nouvel arrangement et nous avons «juste» et ainsi de suite.

Le créateur n'est donc pas distinct de ses créations. Il en fait partie, au même titre que l'inspiration fait partie de la respiration, ou que le printemps est l'une des saisons, ou que la lettre «a» fait partie de l'alphabet. L'alphabet peut-il exister sans ses lettres?

Nous pouvons donner le nom qui nous plaît à ce grand principe du TOUT qui passe par ces cycles sans fin de création - conservation - destruction - transition.

Ces cycles qui se manifestent tant dans le monde de la matière que dans les mondes subtils constituent ce que nous appelons le «monde phénoménal» ou éphémère: en réalité, rien ne se crée et rien ne meurt. Il n'y a que des agencements qui donnent naissance à de nouveaux assemblages.

Tous les produits sont éphémères; seul le principe dynamique de Brahma, Vishnou et Shiva est permanent.

Ce principe ne se manifeste pas seulement dans le monde de la matière mais il coexiste également en nous, dans nos manières d'être et d'agir.

Voyons-en quelques exemples:

Nous caressons un projet et nous économisons pendant toute une année (ou pendant plusieurs années) une certaine somme d'argent afin de le réaliser. Puis vient un temps où nous dilapidons toutes nos économies.

- Brahma nous inspirait un dépassement;
- Vishnou nous incitait à économiser;
- Shiva nous poussait à dépenser.

Même chose du côté de notre carrière.

- Brahma: Nous étudions pendant des années;
- Vishnou: Nous travaillons dans le domaine où nous avons étudié pendant un certaine période, parfois pendant des années;
- Shiva: Ce travail ne nous motive plus du tout, et nous recherchons un nouveau défi.

Le même principe s'applique à nos entreprises.

- Brahma: Nous élaborons de nouvelles stratégies et nous les mettons en application en nous y investissant au maximum;
- Vishnou: Nos affaires démarrent, et les résultats sont encourageants;
- Shiva: Il y a diminution d'activité, tout est soudain à la baisse. Nous cherchons à comprendre ce qui se passe, analysons la situation, pensons à de nouvelles idées. Sans nous en rendre compte, nous préparons un nouveau Brahma ou une nouvelle manifestation.

Si nous ignorons ces cycles de vie, présents dans tous les domaines de notre existence, nous aurons tendance à paniquer et à craindre le pire lorsque Shiva se manifestera. Beaucoup de personnes démissionnent à ce stade, sans savoir que si elles avaient bien utilisé leurs ressources, elles auraient pu connaître un plus grand succès, ou encore un dépassement. C'est ce qui fait dire à certains auteurs que la réussite, c'est: insuccès + persévérance.

Un gagnant n'abandonne jamais et un dégonflé ne gagne jamais!

Napoléon Hill

L'épisode «Shiva» est nécessaire dans un processus d'évolution. La nature est notre meilleur instructeur en ce sens. Chaque jour propose ces trois aspects de la *trimurti*: Le matin, au réveil, notre énergie est à son apogée; celle-ci se maintient au cours de la journée, pour décliner ensuite dans la soirée. La nuit, c'est la pause ou transition.

Étant un véhicule, notre corps a besoin d'énergie, et c'est pendant notre sommeil qu'il peut faire le plein. Shiva est notre indicateur: il annonce quand le réservoir est presque vide. Si nous n'en tenons pas compte et voulons avancer quand même, nous risquons d'endommager notre véhicule, qui sera affecté par l'épuisement ou la maladie.

Connaître et apprécier ces cycles de vie peut nous aider grandement à nous libérer de nos peurs et de nos résistances, tout en nous aidant à avancer dans la joie et l'abandon.

Cette *trimurti* s'applique également dans nos relations.

Nous sommes attiré par une personne qui nous plaît: c'est la force d'attraction du *yin* et du *yang* qui se manifeste. Au début, l'attirance et le désir d'être ensemble sont à leur maximum, puis ils déclinent progressivement, jusqu'à ce que le besoin de se retrouver seul avec soi-même se fasse sentir. Si l'un des partenaires a peur de perdre l'autre, il va tenter d'empêcher que cet éloignement se produise en s'accrochant à la personne qu'il aime. Plus ce besoin de se retrouver seul sera brimé, plus il s'imposera, allant même jusqu'à provoquer la séparation du couple.

Je comprends maintenant pourquoi Laurent a voulu un jour retourner en communauté. Lorsque ce besoin de s'isoler se manifestait chez lui, j'essayais de l'en empêcher par peur de le perdre.

On pourrait comparer ce réflexe à celui de la respiration. Si, après avoir inspiré, nous avions peur de ne plus avoir d'air et voulions garder celui-ci, au bout d'un moment nous n'en pourrions plus et finirions par expirer violemment.

Aujourd'hui, lorsque mon époux ou moi-même avons besoin de solitude, nous comblons ce besoin, c'est toujours avec plaisir que nous nous retrouvons ensuite, après quelques moments, parfois quelques jours et même, à l'occasion, quelques semaines d'absence. Ainsi, notre couple respire mieux, et nous en retirons beaucoup d'harmonie.

Il en va de même pour nos enfants. Lorsqu'ils sont petits, ils vivent la période de Brahma, en restant très près de nous. Quand ils grandissent, Vishnou prolonge cet attachement. À l'adolescence, Shiva entre en jeu, et les enfants se détachent alors de notre influence afin d'être eux-mêmes. Tenter de freiner cet élan d'émancipation ne peut qu'engendrer des conflits, alors que si on l'accepte, et même qu'on l'encourage, il ne peut qu'en résulter de l'harmonie entre eux et nous. Quand, à leur tour, ils auront des enfants et qu'ils reviendront vers nous, Brahma se manifestera à nouveau. Puis, au moment où nous quitterons ce monde physique, ce sera Shiva qui reviendra se manifester.

Selon les hindouistes, le monde phénoménal est la respiration de Brahma. Nous verrons un peu plus loin que les védantistes lui donnent le nom de «Brahman saguna».

Brahma-Vishnou-Shiva, c'est le mouvement de la vie qui nous conduit au dépassement. Les personnes qui cultivent haine, rancune, culpabilité et regrets finissent toujours par s'autodétruire, tant par la maladie que par l'amertume.

C'est le refus du changement qui nous fait souffrir. On veut faire durer ce qui est agréable et on refuse ce qui est désagréable. C'est ce qui nous crée le plus de tensions, de peurs, d'anxiété et de regrets.

Vivre, c'est entrer joyeusement dans le mouvement de la vie. Tout comme le jour «se lève» et se maintient pendant un certain temps avant de faire place à la nuit.

Le disciple d'une voie spirituelle qui a intégré cette notion de changement continu n'essaie plus de faire durer ce qui est agréable et ne refuse plus ce qui est désagréable, mais il utilise les deux types de situation pour avancer sur la voie de l'évolution. C'est ainsi qu'il garde l'équilibre et acquiert l'équanimité et le bien-être.

Chaque fois que Shiva se manifeste, le disciple l'utilise pour détruire des croyances, des agissements ou des attachements qui ne lui sont pas favorables. C'est ainsi que grâce à ce bienveillant Shiva, il pourra arriver à extirper les racines de son ego pour renaître à la vie éternelle.

L'ENSEIGNEMENT FONDAMENTAL DES PHILOSOPHIES SUPÉRIEURES

LE TAO

Oui, vaste est le suprême Tao, Auteur de lui-même,
agissant par le non-agir,
Fin et commencement de tous les âges,

Né avant le Ciel, avant la Terre,
Embrassant en silence la Totalité du Temps,
Traversant sans arrêt la continuité des siècles,
À l'Ouest, il a instruit le grand Confucius
Et à l'Est, il a converti l'Homme d'or[1]*,*
Pris pour modèle par cent rois,
Transmis par des générations de sages,
Il est l'ancêtre de toutes les doctrines
Et le mystère dépassant tous les mystères.

Tao signifie TOUT, ou DIEU. D'autres lui ont donné le nom de «Brahman», «Ahura Mazda», «Allah», etc. Ce TOUT ou DIEU est comparable à un kaléidoscope, dont le mouvement crée sans cesse de nouvelles images.

Ces images n'ont pas d'existence par elles-mêmes. Elles sont relatives, en ce sens qu'elles dépendent du mouvement continu qui crée toujours de nouveaux assemblages ne durant qu'un court moment pour en donner d'autres par la suite.

Le monde phénoménal que nous prenons pour la réalité est exactement comme les images du kaléidoscope. L'ignorance de l'être humain fait en sorte que celui-ci veut retenir celles qui lui procurent une satisfaction et détruire celles qui le font souffrir. Quant aux images qu'il ne connaît pas encore, elles l'inquiètent et l'incitent à s'accrocher à celles qu'il connaît. C'est ainsi qu'en essayant d'arrêter la roue de la vie, il souffre.

Ce n'est qu'avec la connaissance et le détachement que nous pourrons nous rendre compte que ces images sont relatives; nous pourrons alors cesser de souffrir quand une image agréable disparaît pour faire place à une image désagréable.

L'univers dans lequel nous évoluons est donc un monde phénoménal comparable aux images formées par le kaléidoscope. La totalité de l'univers est le kaléidoscope. Il est le Tout se manifestant dans une multitude d'images, depuis toujours et pour toujours.

1. L'Homme d'or fait référence au Bouddha.

À l'ouest, il a instruit le grand Confucius.

Confucius est le nom latinisé de «K'ung Fu-Tzu» (Maître K'ung), qui a vécu de 551 à 479 avant notre ère. Il aurait rencontré Lao-Tseu (Lao-zi), le maître du Taoïsme[1], pour se consacrer ensuite à l'enseignement d'un groupe restreint de disciples qu'il essayait de transformer en *jens*, des êtres humains accomplis.

Le confucianisme ne peut être considéré comme une religion mais plutôt comme un système philosophique. Son principal objectif est d'aider l'adepte à trouver la Voie du milieu qui garantit l'équilibre entre la volonté de la terre et celle du ciel, entre ce qui est relatif et ce qui est Absolu.

Confucius savait que la vie est l'Absolu, ou la condition divine, et que la mort est l'ignorance de cette condition divine. Un jour qu'il s'adressait à des personnes qui se maintenaient dans cette ignorance, il leur dit: «Vous ne savez pas ce qu'est la vie et vous avez peur de la mort; mais comment pourriez-vous savoir ce qu'est la mort?»

La mort n'est pas le contraire de la vie.
La naissance n'est pas un début.
La mort n'est pas une fin.
Tout s'enchaîne.

Qui naît commence à mourir. Qui meurt commence à vivre.
Swami Sirananda

Quant au Christ, il a affirmé: *En vérité, en vérité, je te le dis, si un homme ne naît de nouveau, il ne peut voir le royaume de Dieu.* (Jean 3.3)

Et aussi: *Vous vous trompez parce que vous ne connaissez ni les Écritures ni la puissance de Dieu. En effet, quand les morts*

1. On ne connaît pas de façon certaine la date de naissance de Lao-zi. Certains auteurs prétendent qu'il serait né avant Confucius, d'autres disent qu'il est son contemporain et d'autres encore affirment qu'il serait né après Confucius.

reviendront à la vie, les hommes et les femmes ne se marieront pas, mais ils vivront comme les anges dans le ciel. (Matt. 22.29-30)

Ce que le Christ veut dire par là, c'est que l'être qui vit le TOUT dans sa condition divine ne connaît pas la séparation et qu'il n'a pas besoin, par conséquent, d'être complété. L'attraction du *yin* et du *yang* est la manifestation de l'Univers relatif. Ces polarités *yin* et *yang* se complètent, se multiplient et se décomposent, pour se recomposer en une nouvelle forme, de manière ininterrompue. Ce sont les images du kaléidoscope, le monde phénoménal.

Au-delà des images, il n'y a que l'Absolu (le kaléidoscope), ce que les bouddhistes appellent le «vide», les hindouistes, le «plein» et le Christ, «Royaume de Dieu».

Vous êtes de ce monde; moi, je ne suis pas de ce monde.
(Jean 8.23)

Le monde que les êtres humains prennent pour la réalité est le monde phénoménal. Connaissant sa véritable nature, le Christ affirme qu'il n'est pas de ce monde, dans le sens qu'il n'a aucune attache à ce monde éphémère. Il disait aussi à ce sujet: «Mon Royaume n'est pas de ce monde.» (Jean 18.36)

Pour ce qui est des morts qui reviennent à la vie, n'avez-vous jamais lu ce que Dieu nous a dit: «Je suis le Dieu d'Abraham, le Dieu d'Isaac et le Dieu de Jacob[1]». Dieu n'est pas Dieu des morts mais des vivants.
(Matt. 22.31-32)

Les vivants sont dans la Vérité, ou la condition divine, et les morts sont dans l'ignorance, l'Illusion. À plusieurs reprises, le Christ utilise ce terme «les vivants et les morts». Par exemple, un homme qui voulait suivre Jésus lui avait demandé: «Maître, permets-moi d'aller d'abord enterrer mon père.» Jésus lui répondit: «Laisse les morts enterrer leurs morts, et toi, va annoncer le Royaume de Dieu.» (Luc 9.59-60)

1. Il faut se rappeler que le Christ s'adresse à des juifs.

À quel moment sommes-nous morts à notre condition divine?

Dans la Genèse, il est dit que Dieu créa le ciel et la terre, la verdure et ses produits, les poissons, les oiseaux, les mammifères et enfin, l'être humain. Cela illustre tout simplement l'évolution des espèces en ce qui concerne la planète Terre.

> *L'éternel Dieu prit l'homme et le plaça dans le jardin d'Éden pour le cultiver et pour le garder.*
>
> (Gen. 2.15)

Le jardin d'Éden, c'est le paradis terrestre. Tant que l'être vivait dans sa condition divine, il ne connaissait ni la peur, ni la honte, ni la dualité.

Dieu le plaça à cet endroit pour le «cultiver». On pourrait aussi dire que c'était pour son évolution, car ne dit-on pas d'une personne instruite qu'elle est cultivée?

«Et pour le garder». Lorsqu'on garde une personne, on est uni à elle. Serait-ce d'Unité dont il est question?

> *L'Éternel Dieu donna cet ordre à l'homme: Tu pourras manger de tous les arbres du jardin; mais tu ne mangeras pas de l'arbre de la connaissance du bien et du mal, car le jour où tu en mangeras, tu en mourras certainement.*
>
> (Gen. 2.16-17)

On peut se demander de quelle mort il s'agit puisque, après avoir mangé du fruit de cet arbre, Adam et Ève ne sont pas morts, mais ils ont été chassés du paradis terrestre.

Le jour où nous nous sommes identifiés au monde phénoménal, croyant avoir une existence par nous-même, nous avons créé l'**ego**, qui n'est rien d'autre qu'illusion. Aussi longtemps que nous confondons illusion et réalité, nous sommes morts à notre condition divine.

Le Christ l'exprime encore une fois en ces termes: *Encore un peu de temps, et le monde ne me verra plus; mais vous, vous me verrez, car je vis, et lorsque vous vivrez aussi, vous connaîtrez que je suis en mon Père, que vous êtes en moi et que je suis en vous.*

Pourquoi le Christ dit-il à ses apôtres: «lorsque vous vivrez aussi» puisqu'au moment où il leur parle, ils sont vivants selon le sens que nous donnons à la vie? De quelle vie le Christ parle-t-il? De la condition divine.

Et à l'est, il a converti l'homme d'or.

Bouddha a vécu pratiquement à la même époque que Confucius.

Bouddha: 563-483 av. J.C.
Confucius: 551-479 av. J.C.

Le bouddhisme n'est pas davantage une religion que le confucianisme. Il est une voie qui mène à la libération de l'ignorance ou de l'illusion. Bouddha signifie, en pali et en sanskrit, «éveillé».

Tout l'enseignement du Bouddha a comme objectif de réveiller les êtres à la réalité. Le monde phénoménal que la grande majorité des êtres humains tiennent pour la réalité est comparable au sommeil (ignorance ou illusion). Dans cet état de sommeil, l'être humain croit que ses rêves sont réels; il souffre de ses cauchemars et il se rend malheureux quand son rêve ne va pas selon ses désirs.

C'est la raison pour laquelle le Bouddha a enseigné les **quatre nobles vérités**:

- **La première Vérité** est que tout ce qui appartient au monde relatif est source de souffrance. «La naissance est souffrance, le déclin est souffrance, la maladie est souffrance.» Tout ce qui est éphémère est source de souffrance.

- **La deuxième Vérité** est que l'origine de la souffrance est le désir.

- **La troisième Vérité** est que l'abolition du désir entraîne l'abolition de la souffrance.

Pour abolir le désir, il faut savoir ce qu'est celui-ci et ce qui le nourrit. Lorsqu'on cesse de nourrir un animal, une plante, une idée ou un désir, «il meurt». Le désir vient de l'oubli de notre véritable nature. Notre véritable nature est l'Absolu. Le désir appartient au monde relatif ou phénoménal. Ce qui nourrit le désir, c'est l'**ego** qui n'est autre que l'Illusion ou l'Ignorance. Les bouddhistes disent que l'arbre de la souffrance a les racines de l'ignorance.

- **La quatrième Vérité** révèle le Chemin à huit branches, ou le chemin du juste Milieu, qui mène à l'extinction de la souffrance.

Ces huit branches sont:

1) La volonté parfaite
2) L'action parfaite
3) La parole parfaite
4) Les moyens d'existence parfaits
5) L'attention parfaite
6) La vue parfaite
7) La méditation parfaite
8) L'état de conscience supramental parfait

La voie d'accès à ce chemin à huit branches est constituée par la vue parfaite. Car c'est la vision de notre véritable nature qui déterminera notre choix de parler ou de garder le silence, nos choix d'action, notre détermination (volonté), notre attention et la direction que nous prendrons (moyens d'existence). Cela ne pourra que nous conduire à un Éveil plus grand, qui débouchera lui-même sur la méditation parfaite et sur l'état de conscience supramental parfait.

Le Christ disait: *Soyez parfait comme votre Père céleste est parfait.*

Il nous faut réaliser que tout ce que nous percevons par nos sens n'est qu'illusion. La Réalité, c'est le Vide ou Brahman.

Mais qu'est-ce que le Vide? **Le Vide est l'Absolu ou la Vérité ultime.**

Pour nous faire une idée de ce vide, imaginons un immense écran de cinéma sur lequel sont continuellement projetés des films. À tour de rôle défilent des films de joie, de peur, de maladie, de morts, de guerre, d'amour, de tremblement de terre, d'accident d'avion, de famine, etc.

En quoi les films projetés ont-ils affecté l'écran? Le sang répandu dans les films a-t-il souillé l'écran, les coups de fusil l'ont-ils percé?

L'Écran, par analogie, c'est l'Absolu. Les films qui y sont projetés correspondent au monde phénoménal que nous prenons pour la réalité. Les films sont-ils réels? Ils ne sont qu'un assemblage de scènes, de costumes, de scénarios, de rôles... Est-ce que la personne qui souffre dans un film souffre vraiment? Non, elle ne fait que jouer un rôle. Cependant, si l'acteur oublie qu'il joue un rôle, il peut croire qu'il s'agit de la réalité et il peut en souffrir beaucoup.

Mais s'il est conscient qu'il s'agit uniquement d'un rôle, il ne souffrira pas de la situation. Si quelqu'un l'insulte dans une réplique, cherchera-t-il à se venger en dehors du plateau de tournage? Il pourra avoir l'air fâché mais, intérieurement, il sourira, car il saura que ce n'est pas la RÉALITÉ.

Le monde dans lequel nous évoluons représente le plateau de tournage. Les corps physiques sont les costumes; le corps vital (*prâna*) est l'énergie de l'acteur; les empreintes (*samskaras*), les tendances (*vasanas*) et les *karmas* forment les scénarios.

L'ensemble des actions, des pensées, des sentiments, des émotions ou des paroles exprimés par l'acteur font partie de son rôle. De même, les costumes qu'il revêt sont choisis en fonction du rôle à jouer et du scénario retenu.

Le cinématographe - qui est l'équivalent du kaléidoscope - est complètement détaché du sujet du film. Son rôle est d'assurer la continuité du cinéma, ou du monde phénoménal. Certains acteurs s'étant éveillés à leur réalité décident qu'ils en ont assez de jouer des rôles et se retirent de la scène. Ce sont les *arhats*.

Après que le Bouddha Shakyamouni eût atteint la bouddhéité, il enseigna d'abord les quatre nobles Vérités, puis la façon d'atteindre le Nirvana ou l'extinction de la souffrance. Cette forme initiale du bouddhisme est ce qu'on appelle le *Théravada*. Ce terme qui signifie «doctrine des Anciens», est également connu sous le nom de «Petit Véhicule», qui vient du terme sanskrit *Hinayana*.

Hina qui signifie: inférieur, petit;
Yana qui signifie: véhicule.

Yana qui signifie: véhicule.

La doctrine des Anciens, ou *Théravada*, forme l'École hinayaniste. Les adeptes qui utilisent cette voie et atteignent la libération ou la cessation de la souffrance portent le nom d'*arhat*. Les *arhats* portent un regard parfaitement détaché sur les films qui défilent sur le grand écran de l'Univers, car ils savent que ce n'est que du cinéma.

À ses disciples plus avancés, le Bouddha a enseigné comment aider les autres êtres à atteindre la libération.

On peut prendre l'exemple du Christ qui a enseigné de façon générale aux foules et de façon particulière aux apôtres. C'est ce qui explique qu'après sa mort, les personnes qui faisaient partie des foules étaient incapables d'accomplir des guérisons spectaculaires alors que les apôtres, eux, le pouvaient.

Cette nouvelle approche est celle du «Grand Véhicule» ou de l'École mahayaniste. Enseignée par le Bouddha à une minorité d'adeptes, ce n'est que vers l'an 100 de notre ère qu'elle est apparue dans la littérature des *sutras* de la Gnose Transcendante (*prajnaparamita*).

Alors que l'adepte du bouddhisme hinayanique aspire à devenir un *arhat*, c'est-à-dire un être demeurant à jamais dans l'état de Nirvana et ne revenant plus dans le *samsara*, ou cycle des renaissances, l'adepte du *Mahayana* désire être un *bodhisattva*. Le *bodhisattva* retarde volontairement son entrée dans le Nirvana afin de pouvoir aider tous ceux qui désirent y entrer à leur tour.

Une très belle histoire que l'on retrouve dans le premier tome de ce volume illustre bien ce phénomène.

> Trois hommes marchaient dans le désert. Ils avaient faim, ils avaient soif et ils étaient épuisés. Découragés, ils crurent qu'ils allaient mourir avant de voir la fin du désert.
>
> Ils arrivèrent alors à un endroit où était dressée une muraille de pierres. L'un d'eux parvint à se hisser au sommet, au prix de grands efforts(*méditation, travail sur la maîtrise du mental et sur le détachement des plaisirs de ce monde, tel qu'enseigné dans l'approche hinayaniste*).

De l'autre côté de la muraille, il vit une oasis d'une grande splendeur, avec de l'eau à profusion, des fleurs, des fruits, des gens heureux. Il fit part de sa découverte à ses deux compagnons, puis il sauta du côté de l'oasis.

Le second grimpa à son tour sur la muraille et fut tout aussi émerveillé que le premier. Il sauta également du côté de l'oasis.

Le troisième grimpa sur la muraille, admira la splendeur de l'oasis, puis il se rappela comment il avait eu faim et soif, dans le désert et comment il était découragé. Il pensa à tous ceux qui marchaient dans cette étendue désolée et qui ne savaient pas comment s'en sortir. À cause de ces gens, il renonça à sauter le mur et retourna dans le désert pour montrer la voie menant à l'oasis.

Les deux premiers voyageurs avaient atteint le Nirvana, et on peut leur donner le nom d'*arhats*. Le troisième, lui, était devenu un *bodhisattva*.

Les autorités juives de Jérusalem avaient envoyé des prêtres et des lévites demander à Jean qui il était. Plutôt que de répondre directement, celui-ci affirma très clairement devant tous: «Je ne suis pas le Messie.» Les prêtres revinrent à la charge:

- Es-tu Élie?»
- Non, répondit Jean, je ne le suis pas.
- Es-tu le prophète, insistèrent-ils?
- Non, répondit-il de nouveau.
- Qui es-tu donc? reprirent-ils alors. Nous devons donner une réponse à ceux qui nous ont envoyés. Que dis-tu de toi-même?
- Je suis la voix de celui qui crie dans le désert, fut la réponse de Jean.

(Jean 1.19-23)

Le désert, c'est là où il y a absence de vie, et celui qui crie est celui qui souffre parce qu'il est dans l'ignorance.

Le rôle de Jean le Baptiste était de préparer les êtres de son époque à recevoir la connaissance. À ce sujet, il leur disait qu'il les baptisait par l'eau et que le Christ les baptiserait par le feu. L'eau sert à laver, à purifier. Nous avons vu l'importance de purifier nos corps physique, astral et mental. Tout comme il est important de se libérer des empreintes et des tendances *karmiques* qui nous sont néfastes. Ceci afin de ne pas se créer constamment des *karmas* lourds et défavorables qui peuvent nous empêcher d'avoir une juste vision de la Réalité.

Ce n'est que lorsque cette première purification sera accomplie que nous serons en mesure de recevoir le baptême de feu, qui est la Connaissance libératrice. Ce processus peut cependant être accéléré par l'amour, la compassion et le service aux autres.

C'est dans ce sens que le *bodhisattva* regarde les films qui se déroulent sur le grand écran du monde phénoménal. Il y voit le nombre d'êtres qui souffrent parce qu'ils croient être le personnage dont ils jouent le rôle. Oubliant qu'il ne s'agit là que d'un film, ils vivent continuellement dans l'illusion que l'histoire est réelle parce qu'ils se sont identifiés à leur costume, à leur nom, à leur rôle. La scène où se joue l'histoire est devenue leur réalité. Quand ils entendent une répartie désagréable venant d'un autre personnage, voilà qu'ils vivent de fortes émotions, lesquelles donnent naissance à de nouveaux rôles et à de nouveaux scénarios.

Le *bodhisattva* ressent une grande compassion pour tous ces êtres qui souffrent du fait qu'ils sont endormis à leur réalité. Alors, il accepte de jouer un personnage dont le rôle sera de réveiller les endormis et d'aider le plus d'êtres possible à mettre fin à leur souffrance provoquée par leur ignorance de la réalité.

Son personnage sera tout à fait semblable à celui des autres. Il pourra même accepter de souffrir pendant un certain temps pour que ces gens se disent: «Voilà un être comme nous, qui a souffert comme nous et qui est si heureux aujourd'hui! Il veut nous enseigner à être heureux à notre tour.»

Les personnes qui en ont assez de souffrir l'écouteront, afin qu'il leur montre la voie de la libération en les éveillant à leur véritable nature. Les *bodhisattvas* endosseront le costume et le rôle qui les servira le mieux, de même que le milieu où ils pourront œuvrer le plus efficacement.

Par exemple, s'ils doivent servir en Inde, ils joueront le rôle d'un vieux sage (homme ou femme) ou celui d'un *sannyasi.* Toutefois, s'ils doivent agir en Occident, ils se vêtiront comme les Occidentaux et vivront dans la même aisance, sinon une plus grande, car, étant attachés à la matière, les Occidentaux écouteront davantage la personne qui les impressionnera par son savoir et ses avoirs.

Seul un Bouddha peut reconnaître un *bodhisattva.*

Mon Père m'a remis toute chose. Personne ne connaît le Fils si ce n'est le Père, et personne ne connaît le Père si ce n'est le Fils et ceux à qui le Fils veut le révéler.

(Matt. 11.27)

Le Père, c'est le TOUT, ou Dieu. Le Fils est celui qui est éveillé. Il peut s'agir tout autant de l'*arhat* que du *bodhisattva.* Cependant, le Christ parle toujours de lui comme le Fils de l'homme. Lorsqu'il dit: «Mon Père m'a remis toute chose», il fait référence à son rôle de *bodhisattva.* Sa propre famille peut ne pas le reconnaître, et cela est nécessaire, car si on le reconnaissait, on risquerait d'en faire un Maître ou une divinité, et c'est justement le contraire que souhaite le *bodhisattva.* Il souhaite que tous les êtres réalisent qu'ils sont de la même nature que la sienne. (Les *bodhisattvas* choisissent leur costume en fonction des besoins à combler. Ce costume peut donc être masculin ou féminin.)

Les êtres humains doivent cesser de vénérer «la personnalité» ou le personnage et s'**éveiller à leur réalité**.

Il y a toutefois une différence fondamentale entre un *arhat* et un *bodhisattva.* Le Grand Discours sur les Fondements de l'Attention (*Bhaddekavatta Sutta, Majjhima Nikaya*) va jusqu'à prétendre qu'il suffit de sept ans, voire de sept jours, pour qu'un être humain sincère et persévérant atteigne l'Illumination. Cependant, l'état de *bodhisattva* exige de passer par des éons successifs d'efforts et de franchir des degrés de vertu presque incroyables.

L'*arhat* aussi bien que le *bodhisattva* deviennent éventuellement un bouddha. Devenir bouddha signifie «se fondre dans le Tout». Toutefois, le bouddha qui a été *bodhisattva* dans ce monde pourra y poursuivre sa mission d'aide, et ce, à travers les siècles.

Jésus l'a dit: *Je vous le déclare, c'est la vérité: les gens d'aujourd'hui ne seront pas tous morts avant que tout cela arrive. Le ciel et la terre disparaîtront, tandis que mes paroles ne disparaîtront jamais.* (Matt. 24.34-35)

> *La bouddhéité* (ou la nature de Bouddha) *est l'ultime état de conscience. Mais si vous passez par l'état de* bodhisattva, *vous restez accessible au monde, vous êtes à jamais une fenêtre ouverte sur le divin. Dans le cas d'un* arhat, *vous disparaissez dans l'infini, mais personne ne sera secouru par vous.*
>
> (*Le Soûtra du Diamant*, Osho Rajneesh)

Bien qu'il retarde son entrée dans le Nirvana, il arrive un moment où le *bodhisattva* doit partir. L'ensemble des racines qui le retenaient à ce monde phénoménal étant détruites, il ne peut y habiter une vie de plus. C'est alors qu'il atteint le stade du bouddha qui s'en est allé et continue d'aider les êtres.

> *L'heure est maintenant venue où le Fils de l'homme* (le bodhisattva) *va être élevé à la gloire* (bouddhéité). *Je vous le déclare, c'est la vérité: un grain de blé reste un seul grain s'il ne tombe pas en terre et ne meurt pas. Mais s'il meurt, il produit beaucoup de grains. Celui qui aime sa vie* (celui qui s'attache à ce monde phénoménal) *la perdra, mais celui qui refuse de s'y attacher dans ce monde la gardera pour la vie éternelle* (mourir à son **ego** pour renaître à la vie

éternelle). *Si quelqu'un veut me servir, il doit me suivre, ainsi, mon serviteur sera aussi là où je suis. Mon Père honore celui qui me sert.*

(Jean 12.23-26)

Donc, l'**écran** sur lequel se déroulent les images du film (*samsara*) est ce que les bouddhistes appellent le **vide**, les hindouistes, le **plein** et le Christ, le **père**. Cependant, on peut aussi lui donner le nom de Dieu, d'Allah, de Brahman, d'Ahura Mazda, d'Absolu, etc.

Les mots ne servent qu'à exprimer la pensée qui définit une fonction. Dieu, ou l'Absolu, n'a pas de nom, pas plus que nous n'en avons nous-même. Notre nom est celui du personnage qui joue dans le film (*samsara*). Les seuls véritables acteurs sont la Souffrance et l'Extinction de la Souffrance.

Il n'y a que Souffrance,
il n'y a pas de souffrant.
Il n'y a pas d'agent,
il n'y a que l'acte.
Le Nirvana est
mais non pas celui ou celle
qui le cherche.
La Voie existe,
mais non pas celui ou celle
qui y marche.

(Visudhi Magga, 16)

Le Bouddha fait dériver de l'Ignorance (*avidya*) tout processus cosmique et de la cessation de l'Ignorance tout salut: «C'est l'Ignorance qui produit l'Information innée (*samskara*); c'est l'Information innée qui produit la Conscience (*vijnana*)[1]; c'est la Conscience qui produit les Noms et les Formes (*namarupa*)[2]; ce sont les Noms et Formes qui produisent les six organes des sens (*sadatyayana*); ce sont les six organes qui produisent le Contact (*sparsa*); c'est le Contact qui produit la Sensation (*vedana*); c'est la Sensation qui produit le Désir (*tisna*); c'est le Désir qui produit

1. La conscience dont il est question ici est la conscience endormie.
2. Cette notion fait référence à l'identification à un nom et à une forme.

l'Attachement (*upadana*); c'est l'Attachement qui produit l'existence (*bhava*); c'est l'Existence qui produit la Naissance (*jati*); c'est la Naissance qui produit la Vieillesse et la Mort (*jaiamarana*).»

Le remède à la Vieillesse et à la Mort est donc la cessation de l'Ignorance ou l'adoption de la Voie enseignée tout autant par le Bouddha que par certains *Upanishads* et par les soufis. On la retrouve également dans l'approche proposée par l'*Advaïta Vedanta* ainsi que dans l'enseignement du Christ.

Notre érudit professeur de bouddhisme, Tenzin Choedrak, nous disait: «Si vous pouvez accepter les quatre axiomes que je vais vous donner, vous êtes alors des bouddhistes pratiquants, même si, avant aujourd'hui, vous n'aviez jamais entendu parler du bouddhisme.»

Le premier de ces axiomes est:

Tout ce qui a pris naissance est éphémère; donc, tout ce qui est produit est éphémère.

Si nous acceptons ce premier axiome, nous conviendrons que l'univers entier est éphémère, même si nous parlons de milliards d'années d'existence pour une planète ou un système solaire. Tout ce qui a un début aura une fin.

Le deuxième axiome est le suivant:

Tout ce qui est contaminé par le mental est source de souffrance.

Mais encore faut-il savoir ce qu'est le mental. Le mental provient de l'identification à un nom et à une forme, créant ainsi l'illusion de l'existence d'un moi individuel indépendant des autres.

Ce «moi-je» que les hindouistes appellent *ahamkar*, les bouddhistes, *atma* et les chrétiens, *âme*(individuelle), n'a pas d'existence propre, mais le mental le laisse dans ce mensonge.

Dans la pratique, disons que le mental et l'**ego** sont une même réalité. Au départ, le jeune enfant n'a pas encore d'**ego**, car il n'est pas identifié à un nom ou à une forme. Demandez à un bébé de quinze ou dix-huit mois comment il s'appelle, il vous répondra: «Un an.» Ce n'est qu'avec le temps qu'il comprendra qu'il est vraiment Jean-François, le fils de monsieur et madame X.

Le nom et la forme sont les deux piliers du mental ou de l'**ego**. Dès que le mental prend forme, la dualité se manifeste. Il y a le moi et le non-moi (tout ce qui n'est pas moi). À partir de là, l'existence toute entière de l'être humain sera en relation avec le moi et le non-moi. C'est ainsi que l'être humain, en grandissant, va renforcer son individualité parce qu'il se croit séparé de l'ensemble.

Cette individualité est le vêtement du mental-ego; elle comprend les pensées, les sensations et les émotions tant conscientes qu'inconscientes.

Rappelons à ce sujet que les hindouistes donnaient le nom de *koshas* aux différents revêtements ou enveloppes du SOI, l'ATMA (âme suprême ou Dieu). Par exemple:

le vêtement physique ou *Annamayakosha*
le vêtement mental ou *Manomayakosha*
etc. (Voir chapitre III, p. 82)

La clé contenue dans ces mots est *maya*, qui signifie «illusion».

Ces revêtements n'ont donc pas d'existence par eux-mêmes. Ils appartiennent tous au monde phénoménal ou éphémère. Ils ne sont que des assemblages provisoires, auxquels s'est identifié le mental-**ego**.

Ce mental-**ego** est comme l'alphabet: il n'est qu'une illusion, comme l'alphabet qui n'existe qu'en fonction d'un ensemble de lettres. Éliminons les lettres, et l'alphabet ne tient plus. Éliminons les revêtements et le mental n'existe plus.

Sans le mental, il n'y a pas d'émotions; c'est le mental qui en est la source. Le mental n'est jamais neutre; il se situe continuellement dans des opposés, tels que:

- J'aime, je n'aime pas;
  Cela est correct, cela est incorrect;
- Cela est acceptable, cela est inacceptable;
- Cela est beau, cela est laid;
- Cette personne est agréable, cette autre est désagréable.

Le mental oscille constamment entre le désir et l'aversion. Il juge continuellement le comportement des autres en affirmant: «Il devrait» ou «Il ne devrait pas».

Par exemple, je me trouve actuellement en République Dominicaine. Je prends l'autobus pour me rendre à la plage. Par la fenêtre, je vois un homme et une femme qui nous dépassent en motocyclette. La femme tient un bébé dans ses bras. Que fait le mental? Il s'écrie: «Non, mais t'as vu? S'il fallait que la femme tombe, l'enfant serait tué. C'est fou, c'est dangereux, c'est inconcevable...» Pourtant, ces gens roulent tout simplement sur leur motocyclette, heureux, sans penser à un accident.

Chaque fois que nous utilisons un moyen de transport quelconque, nous prenons le risque d'avoir un accident. S'il fallait nous attarder à cette possibilité, nous serions incapable de monter dans un véhicule. Le mental imagine toujours le pire; il crée ses propres peurs, lesquelles le rendent malade.

Qu'est-ce que l'agoraphobie? C'est un mental en hyperactivité qui ne cesse d'amplifier les peurs qu'il se crée lui-même. Tout comme pour la paranoïa, c'est le mental qui ment à la personne en lui faisant croire que les autres lui en veulent ou cherchent à lui faire du mal.

Voilà pourquoi on appelle «malades mentaux» les personnes qui vivent ces problèmes. Qu'il s'agisse de psychose, de névrose ou de schizophrénie, c'est toujours le mental qui est malade. Déjà que ce mental est mensonge, voilà qu'il s'invente encore plus de mensonges.

L'être humain crée ses propres joies et ses propres souffrances à partir de son mental. Cependant, comme le mental est menteur, il lui fait croire que le bonheur ou le malheur se trouve à l'extérieur de lui.

Prenons l'exemple d'un couple invité dans la famille du mari. Avant de quitter la maison, la femme pense: «Je n'aime pas aller dans sa famille, je trouve ces gens vulgaires, etc.» Ce sont là les pensées qui l'habitent. Une fois chez sa belle-famille, un tout petit mot échappé déclenche une querelle. On lui dit: «On sait bien, Madame se prend pour la duchesse de Windsor...» Et voilà l'épouse en colère. En rentrant, elle se défoule sur son mari, le rejetant, lui, avec toute sa famille. C'est le drame; elle est alors convaincue que si elle était restée chez elle, elle n'aurait pas eu ce conflit avec son mari. Elle est persuadée que la cause de sa souffrance est reliée à sa belle-famille.

Le mental-**ego** vit continuellement dans la peur de souffrir ou de mourir. Alors, il imagine, interprète, se protège, se méfie, etc.

Le jeu du mental nous rend aveugle à la Réalité; il nous hypnotise en nous faisant entrer dans un sommeil profond. Nous prenons alors les rêves (l'éphémère, l'illusoire ou le phénoménal dans lequel nous sommes de façon relative) pour la Réalité et nous vivons continuellement dans la peur, la déception, la frustration. Et nous souffrons.

C'est ce que voulait dire l'axiome: «Tout ce qui est contaminé par le mental est source de souffrance.»

La seule façon de se libérer de ce mental est de s'éveiller à notre véritable nature, la Réalité, qui n'est pas le mental mais l'Absolu (Brahman, Bouddha, Christ, Atman, le Soi, etc.).

C'est en réalisant le TOUT, l'Absolu, que nous nous libérerons du mental, et c'est en se libérant du mental que la Vérité nous sera révélée. C'est ce que voulait dire le Christ dans la première des béatitudes.

> *Bienheureux les pauvres en esprit car le Royaume des cieux est à eux.*
>
> (Matt. 5,3)

Comme le mental est à l'origine des émotions, la personne qui s'en détache (qui s'appauvrit) y gagne la paix et l'harmonie intérieure (le Royaume des cieux).

Un Sage est un être affranchi du mental. Il connaît la Réalité, et l'extérieur n'a plus d'emprise sur lui. C'est pourquoi il sourit continuellement; il vit dans le Royaume des cieux.

Tout ce qui n'est pas Bouddha est souffrance. C'est là le troisième axiome.

Qui est ou qu'est-ce que Bouddha? Beaucoup de personnes associent Bouddha à un être réalisé ou à un être qui a atteint l'illumination. Cette perception est à la fois vraie et fausse. Elle est vraie dans le sens où un être qui vivait dans l'illusion de la séparation s'est, à un moment donné, éveillé à sa véritable nature. Cependant, il est faux de dire qu'à partir de ce moment, cet être est devenu un Bouddha, car à ce moment il n'est plus un être, il est le tout. Exactement comme une statue de sel qui fond dans l'océan. Dès qu'elle a fondu elle n'est plus une statue de sel dans l'océan, elle est l'océan.

Être un bouddha, c'est être l'océan[1].

Je me souviens, dans l'un de mes premiers cours à Tushita, notre professeur nous avait dit: «Nous, les bouddhistes, nous nions l'existence de Dieu.» J'ai compris par la suite ce qu'il voulait dire: les bouddhistes nient la conception chrétienne d'un Dieu créateur de l'univers. Cette conception n'est pas celle du Christ, elle est celle de ceux qui n'ont pas compris la véritable nature de Dieu.

C'est la même chose que si j'avais dit à un bouddhiste: «Nous, les chrétiens, nous nions l'existence de Bouddha.» Que se serait-il passé? Il y a des chances que si mon ami bouddhiste avait eu un mental bien présent, il aurait pensé qu'il était inutile de discuter; nous n'aurions jamais pu nous entendre. Voilà exactement ce qui se passe avec les religions. On parle de la même chose, mais avec des mots différents, et sans essayer de comprendre ce que l'autre veut dire.

Par exemple, les bouddhistes donnent le nom d'«Atma» au moi-individuel, dans le sens de soi-même, alors que pour les hindouistes, l'Atma représente le Soi absolu indifférencié.

Combien d'hindouistes et de bouddhistes ont tourné le dos aux autres pour un simple mot qui a une signification différente pour chacun? Tant que les dirigeants des grandes religions ne se détacheront pas de leurs croyances et de leurs dogmes pour adopter un point de vue neutre, jamais ils ne pourront se donner la main. Ils seront des aveugles conduisant d'autres aveugles, comme le disait le Christ au

1. Ce n'est qu'une image, car l'océan lui-même est limité alors que l'Absolu, ou Bouddha, est illimité.

sujet des prêtres pharisiens (une branche du judaïsme) de son époque (voir Matt. 23.13).

Vous savez sans doute que ce ne sont pas des criminels ni des représentants de la justice des hommes qui ont tué le Christ. Ce sont des gens qui étaient considérés comme très respectables: les chefs des prêtres et les pharisiens que Jésus dérangeait à cause de la Vérité qu'il apportait.

> *Les chefs des prêtres et tout le conseil supérieur cherchaient une accusation, même fausse, contre Jésus pour le condamner à mort.*
>
> (Matt. 26.59)

Le Maître qui est parti n'est plus un compétiteur; on peut même prendre ce qu'il possédait et l'utiliser pour son profit. C'est ce que les prêtres ont fait et c'est ce qui explique que l'enseignement dit chrétien avait une forte coloration judaïque et très peu christique, car les prêtres ne pouvaient enseigner ce qu'ils n'avaient pas compris.

Qu'est-ce donc que Bouddha ou l'Absolu?

Dans l'*Advaïta Vedanta* - la doctrine non dualiste (un sans le second) du *Vedanta*, exposée à l'origine par Samkara (788-820) - l'Absolu prend le nom de «Brahman[1].» Le Brahman, l'Un, est un état de l'être. Cet état «est» lorsque toute distinction entre le sujet et l'objet a disparu. Le Brahman désigne l'expérience de la plénitude infinie de l'être, là où nous-même parlons de Bouddha ou de Dieu.

L'*Advaïta Vedanta* distingue deux aspects, ou modes, de Brahman: Brahman *nirguna* et le Brahman *saguna*, appelé *Ishwara saguna* par les hindouistes. Le Brahman *nirguna* est le Brahman neutre, statique, non qualifié, sans attribut. C'est l'équivalent du

1. Le terme «Brahman» apparaît pour la première fois dans le RgVéda (environ 1200 ans av. J.-C.).

Vide des bouddhistes ou, si vous préférez, l'écran blanc sur lequel se déroulent les images du film, ou encore le kaléidoscope[1].

Le Brahman *suguna* n'est pas un second Brahman, mais son autre aspect. Celui-ci est qualifié, c'est-à-dire qu'on lui accorde des attributs, tels «éternel», «Être suprême», «dynamique». Il se manifeste par la *trimurti* de Brahma (créateur), de Vishnou (conservateur) et de Shiva (destructeur). Si vous préférez, ce sont les films projetés sur l'écran (*samsara*).

Donc, Dieu est Tout, et Tout est Brahman, à la fois statique et dynamique. On peut ainsi comprendre que *Samsara* (le monde phénoménal) et *Nirvana* (le Royaume des cieux) sont des états où toutes les distinctions disparaissent, où tout est parfait et en harmonie.

> *De même que l'araignée sécrète et résorbe son fil ainsi, de l'Immuable émerge l'univers phénoménal.*
>
> (*Upanishad* 1.1,7)

> *Dieu a fait toute chose par lui; rien de ce qui existe n'a été sans lui. En lui était la vie, et cette vie donnait la lumière aux hommes. La lumière brille dans l'obscurité (*ignorance*) et l'obscurité ne l'a pas compris.*
>
> (Jean 1.1-5)

Le Brahman est un état d'être qui est silence; c'est aussi un principe dynamique. Le Brahman est divin, et le Divin est Brahman.

Les maîtres bouddhistes du *mahayana*, en particulier ceux du tantrisme tibétain ou du zen japonais, sont en accord avec le *Vedanta* lorsqu'ils affirment que *Nirvana* est *Samsara*.

1. Bien entendu l'allusion à l'écran ou au kaléidoscope n'est utilisée ici que pour faciliter la compréhension, car l'Absolu, le Vide ou Brahman ne peuvent être représentés, puisque sans nom et sans forme.

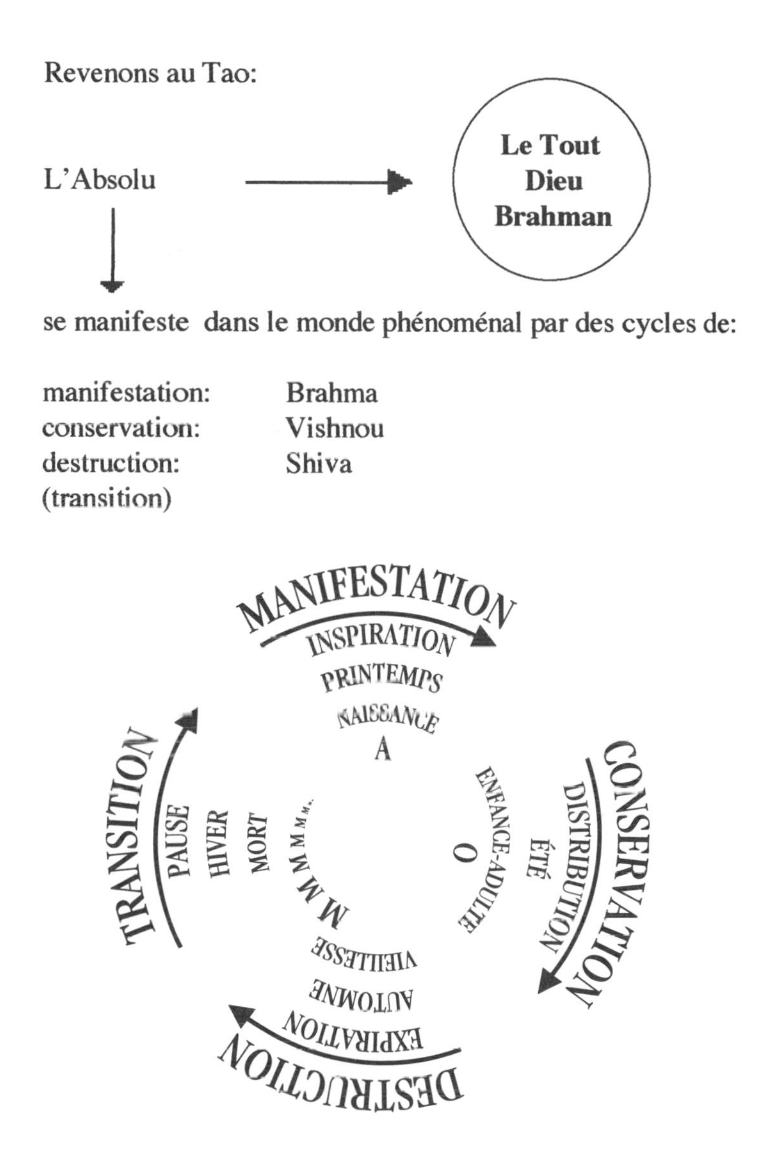

Ainsi, il y a toujours de nouveaux produits qui composent à leur tour d'autres produits. Tous les produits sont éphémères. Seul le principe dynamique de Brahma, de Vishnou et de Shiva est permanent. Les produits n'ont aucune existence par eux-mêmes; ils ne sont que l'expression ou la manifestation de Brahman.

Paradoxalement, nous sommes un produit et nous n'en sommes pas un, car le produit est une manifestation temporaire alors que nous sommes l'essence même, donc l'Absolu, Brahma, Dieu ou Bouddha.

Les soufistes utilisent la comparaison de l'océan et de ses vagues. L'océan serait l'équivalent du Vide des bouddhistes, du Brahman *nirguna* des advaïtiens, du Tao des taoïstes ou du Père pour le Christ.

L'océan par lui-même est neutre; il manifeste continuellement des vagues. Chaque vague est différente de celle qui la précède et de celle qui lui succède. Chacune passe par le cycle de la manifestation (Brahma), de la conservation (Vishnou) et de la destruction (Shiva). Chaque vague est éphémère; aucune n'existe par elle-même.

Tous les produits de la manifestation divine (la création) sont au Divin ce que les vagues sont à l'océan. Chacun de nous est une vague de l'océan dans notre aspect relatif, et l'océan dans notre aspect absolu.

Chaque être humain n'est autre chose que l'Unique, l'Éternel, l'Absolu, le Brahma, Dieu ou Bouddha dans sa véritable nature, même s'il l'ignore.

Les hindouistes disent TAT TWAN ASI («Tu es cela»). Nous ne pouvons donc devenir Bouddha ou Dieu, car nous ne pouvons devenir ce que nous sommes déjà. Nous pouvons seulement le découvrir.

C'est le mental-**ego** qui recouvre notre véritable nature, nous aveuglant sur notre Réalité. La vision du mental est par conséquent fausse, mensongère, puisqu'elle limite l'illimité en soumettant l'Absolu à un espace, à une notion de temps. Le temps n'existe qu'au niveau mental.

Ainsi, nous pouvons dire «Je suis Dieu.» Le Christ disait: *Avant qu'Abraham soit né, «Je suis».* (Jean 8.58)

Ou encore: *Je vous le dis déjà maintenant avant que la chose arrive, afin que lorsqu'elle arrivera, vous croyiez que «je suis celui que je suis».* (Jean 13.19)

Ou encore: *Quand vous aurez élevé le Fils de l'homme* (ce qui signifie quand la divinité en vous sera éveillée), *vous reconnaîtrez que je ne fais rien par moi-même: je dis seulement ce que le Père m'a enseigné.* (Jean 8.28)

Donc, si tu as bien compris ta véritable nature, tu as saisi que celle-ci est «Je suis», et que tout ce que tu ajoutes à ce «Je suis» est relatif et, par conséquent, non réel. Seul «Je suis» est réel.

Donc, «Je suis»; je ne peux pas être Claudia Rainville. Claudia Rainville est un nom donné à un assemblage qui a émergé provisoirement du Tout.

Je ne suis pas écrivain. Cette fonction est le rôle que joue cet assemblage dans le film qui se déroule de façon éphémère sur l'écran de l'Univers.

Je ne suis pas une femme. Cela correspond à la sexualité du vêtement physique qui recouvre ma véritable nature.

La réalité est «Je suis ce que je suis», et toi aussi, tu es Cela: TAT TWAN ASI.

Enfin, voyons le quatrième axiome, qui est:

Tous les phénomènes n'ont pas de soi. Seul le Nirvana est source de paix.

Tous les phénomènes n'ont pas de soi individuel. Ils appartiennent tous au grand SOI.

Seul le Nirvana est source de paix. Lorsque nous avons vraiment intégré la Réalité de notre nature, les peurs et les désirs se dissolvent. Et quand il n'y a plus ni peur ni désir, il n'y a plus d'émotion et plus de souffrance, seulement une paix profonde.

Les bouddhistes utilisent l'histoire qui suit pour expliquer l'illusion et la réalité.

> *Vous êtes dans l'obscurité* (l'ignorance) *et vous voyez sur votre balcon quelque chose que vous prenez pour un serpent venimeux. Parce que vous avez peur de ce que vous croyez être un serpent qui pourrait vous mordre, vous ne sortez pas de votre maison et vous vous sentez emprisonné. Vous êtes limité et vous priez de toutes vos forces pour que ce serpent s'en aille, mais il ne part pas. Vous souffrez dans votre prison, vous vous lamentez dans votre solitude, etc.*

> *Un jour, vous en avez assez de souffrir de votre isolement, de votre peine et de votre peur, et vous osez affronter l'objet de votre peur. Vous prenez le risque d'être mordu pour quitter la prison de votre limitation.*
>
> *Vous sortez de la maison* (les fausses croyances), *vous allez sur le balcon, et vos yeux voient alors ce qui vous a fait si peur pendant des années. Ce n'était pas un serpent mais une vulgaire corde. Vous voilà pris d'un fou rire indescriptible, mais vous êtes libre.*

La corde que l'on prend pour le serpent, c'est l'illusion d'un danger qui menace, un moi-**ego** qui a peur de mourir alors que ce moi-**ego** n'existe pas.

Et la libération de ce moi-ego, c'est le Nirvana pour les bouddhistes, Moksha ou Mukti pour les hindouistes, Fana pour les soufistes, la Vie Éternelle pour les Chrétiens; c'est ce qu'on peut aussi appeler la Réalisation du SOI.

> *Après avoir réalisé la Présence, l'homme est libre et parfait. Avant de réaliser la Présence, l'homme est aussi libre et parfait; il lui reste à le savoir.*
>
> Jean Bouchart d'Orval

Initier n'est pas facile.
La personne qui vous initie
doit au moins avoir atteint le premier satori,
la première vision de la conscience divine.

Il y a trois satoris.
Le premier signifie
que vous avez entrevu de loin:
vous avez aperçu l'Himalaya
brillant sous le soleil.
Le second se produit
quand vous êtes parvenu au sommet.
Vous êtes arrivé.
Et le troisième survient à l'instant
où vous et le sommet ne faites plus qu'un.
C'est le dernier, l'ultime, le samadhi.

Osho Rajneesh

RENAÎTRE

Prends ta mort au sérieux; toutefois rire sur le chemin de ton exécution n'est pas compris en général par les formes de vie moins évoluées, et ils te traiteront de fou.

Richard Bach

Renaître, c'est mourir à l'illusion ou se réveiller de l'état léthargique qui nous garde dans l'ignorance et la souffrance. Ce n'est que lorsque nous sommes réveillés que nous savons que nous avons rêvé. Rares sont les êtres qui demeurent conscients quand ils sont plongés dans cet état.

La personne qui réalise qu'il ne s'agit que d'un rêve se déroulant comme un film ne souffre plus. Elle est détachée autant du décor que des scènes, du rôle ou du costume de son personnage. Elle est consciente qu'elle peut changer de rôle à volonté, et même quitter définitivement le plateau de tournage.

SE DÉTACHER DU DÉCOR

Le décor correspond au monde phénoménal où se déroulent les différentes scènes du film de la vie.

C'est de ce monde qu'il nous faudra nous détacher pour entrer dans le royaume des cieux, ou le nirvana.

> *Celui qui aime sa vie la perdra et celui qui hait sa vie dans ce monde la conservera pour la vie éternelle.*
>
> (Jean 12.25)

> *Vous êtes d'en bas; moi, je suis d'en haut. Vous êtes de ce monde; moi je ne suis pas de ce monde.*
>
> (Jean 8.23)

L'attachement au décor et aux objets qui le composent devient source de souffrance lorsque ces derniers sont altérés ou qu'ils nous sont retirés.

Une très belle parabole du Christ nous enseigne la voie à suivre pour atteindre le détachement.

> *Un homme s'approcha de Jésus et lui demanda: «Maître, que dois-je faire de bon pour avoir la vie éternelle?» Jésus lui dit: «Pourquoi m'interroges-tu au sujet de ce qui est bon? Un seul est bon. Si tu veux entrer dans la vie, obéis aux commandements.» «Lesquels?» demanda-t-il.*
>
> *Jésus répondit: «Ne commets pas de meurtre; ne commets pas d'adultère; ne vole pas; ne prononce pas de faux témoignages contre quelqu'un; respecte ton père et ta mère, aime ton prochain comme toi-même».*
>
> (Matt. 19.16-19)

Pour éviter de se créer des karmas lourds ou négatifs, le Christ nous conseille de respecter la loi universelle contenue dans les commandements de Dieu.

Une étude réalisée par un chercheur portant sur les religions du monde laissait le lecteur avec cette interrogation: les bouddhistes disent que le monde n'est qu'une illusion et la personne, une association passagère d'éléments destinés à se séparer. On voit mal, dans ces conditions, comment nos actes pourraient avoir de l'importance et en quoi ils pourraient influencer notre vie prochaine. On peut même se demander s'il est possible d'atteindre le nirvana de son vivant si celui-ci est un anéantissement et comment nos actions peuvent déterminer notre vie ultérieure si l'âme n'est qu'illusion.

En fait, bien que les acteurs ne jouent que des rôles déterminés par un scénario, on peut dire que ces rôles se perpétuent continuellement dans de nouvelles scènes. Si l'acteur accepte de jouer un rôle différent entraînant des répercussions favorables, il aura peut-être l'occasion de rencontrer un maître qui l'aidera à prendre conscience qu'il n'est pas le personnage auquel il s'est identifié.

> *Et le jeune homme lui dit: «J'ai obéi à tous ces commandements. Que dois-je faire encore?»*
>
> *«Si tu veux être parfait, lui dit Jésus, va, vends tout ce que tu possèdes et donne l'argent aux pauvres, alors tu auras des richesses dans les cieux; puis viens et suis-moi.»*
> *Mais quand le jeune homme entendit ces paroles, il s'en alla tout triste, parce qu'il était très riche.*
>
> *Jésus dit alors à ses disciples: «Je vous le déclare, c'est la vérité; il est difficile à un homme riche d'entrer dans le Royaume des cieux. Et je vous déclare encore ceci: il est difficile à un chameau de passer par le chas d'une aiguille, mais il est encore plus difficile à un riche d'entrer dans le Royaume de Dieu.»*
>
> (Matt. 19.20-24)

Le terme «riche» fait ici référence à l'attachement. Il a été souvent mal compris et mal interprété, laissant croire qu'il était préférable de vivre dans la pauvreté.

Le Christ a invité le jeune homme à se détacher de ce qui le maintenait dans l'ignorance et la souffrance.

Dès que nous sommes pleinement conscients que nous évoluons dans un décor, le détachement se réalise. Que les scènes soient grandioses ou modestes n'a plus d'importance.

On m'a souvent posé la question suivante: «Pourquoi certains Maîtres de l'Inde habitent des résidences somptueuses, voyagent dans des voitures de luxe, alors que les disciples vivent très souvent dans la pauvreté?»

Nous attirons ce que nous rayonnons.

À mon retour de l'Inde, je me sentais coupable d'habiter une belle maison alors que j'avais rencontré tant de sans-abris.

Mon époux me proposa alors cette hypothèse: «Si tu possédais un très beau violon Stradivarius qui fait entendre des sons sublimes, rangerais-tu ton instrument dans une vulgaire boîte en carton ou dans un très bel étui de bois précieux dont l'intérieur serait tapissé de velours?»

Ces paroles m'ont amenée à accepter ma demeure et m'ont fait comprendre pourquoi plusieurs grands Maîtres habitaient des résidences très luxueuses et parfois même des palais. Comme ils sont de précieux instruments d'éveil, ils s'attirent l'écrin qui correspond à leur valeur. Eux-mêmes en sont totalement détachés car ils sont conscients qu'il ne s'agit que d'un décor.

Le rôle principal d'un Maître n'est pas de créer un décor plus agréable à ses disciples, mais plutôt de les éveiller à leur condition d'acteurs. S'il les aide parfois à améliorer le décor dans lequel ils évoluent, c'est uniquement en vue de les amener vers cette réalité.

Je donne aux gens ce qu'ils désirent pour qu'ils désirent un jour ce que je veux leur donner.

Saï Baba

L'être qui vit dans l'ignorance de sa condition divine s'attache aux objets qui plaisent à ses sens, ce qui engendre la peur d'en être privé, de les voir se détériorer ou de devoir s'en séparer.

Voici quelques comportements qui illustrent ce concept:

- Fondre en larmes parce que la portière de sa voiture a été égratignée;
- Garder rancune à une personne qui a endommagé l'un de nos biens;
- Préférer vivre des relations conflictuelles plutôt que de quitter la maison à laquelle on est attaché (beaucoup de personnes âgées souffrent lorsqu'elles doivent quitter leur maison et les objets reliés à leur passé);
- S'accrocher à un emploi qui n'apporte aucune satisfaction et aucun dépassement, mais qui procure la sécurité financière;
- Sombrer dans la maladie ou la dépression lorsqu'on perd l'investissement de plusieurs années.

Voilà autant de façons d'exprimer un attachement démesuré au monde de la matière.

Se détacher des choses matérielles n'implique pas de s'en priver ni de renoncer à en faire l'acquisition, ni de s'assurer une certaine sécurité matérielle, ni de négliger de prendre soin de ces objets. Il s'agit tout simplement de ne pas en être dépendant ni esclave. Il faut au contraire apprécier tout ce que la vie nous offre et en jouir au maximum, le temps que ces objets nous sont prêtés, car rien ne nous appartient. Qu'avons-nous apporté en venant au monde? Et qu'allons-nous emporter en le quittant? Si nous savons profiter pleinement de ce que nous avons, il nous sera ensuite facile de nous en détacher pour nous tourner vers quelque chose de nouveau.

Comment peut-on se détacher de la peur de manquer d'argent?

Le secret est de savoir que tout ce que nous avons est le résultat de la loi d'attraction. Dès que nous avons besoin d'argent, nous créons des lignes de force pour nous l'attirer.

L'aimant n'attire ni le bois, ni le plastique, mais le fer. Tout comme lui, nous attirons exactement ce qui nous ressemble, par nos pensées, nos sentiments ou nos émotions. Et cela se confirme dans tous les domaines, autant physique qu'affectif ou spirituel.

Si tu as bien compris cette loi d'attraction, tu n'as qu'à créer le besoin et à laisser les lignes de force attirer ce qui correspond à ce besoin. Ce qui rompt les lignes de force et les empêche d'agir, ce sont nos peurs et nos doutes. Il nous est tous arrivé un jour d'avoir un besoin et de le voir satisfait, sans trop savoir comment cela est arrivé.

Il faut cependant faire une distinction entre un besoin et un désir. Il y a une grande différence entre les deux. Quand le besoin est là, la source y répond.

Avez-vous déjà vu des oiseaux transporter des réserves de nourriture? L'oiseau est le symbole de la liberté. Pour être libre, il faut avoir confiance de toujours avoir ce dont nous aurons besoin.

Dès que nous avons acquis cette confiance, nous sommes libres de notre dépendance face à l'argent et aux choses matérielles.

La vraie sécurité ne peut reposer sur aucune cause extérieure, elle naît de la confiance et de l'abandon intérieur.

Ma philosophie concernant les choses matérielles est la suivante: si je me trouve dans un endroit où il n'y a pas de chaise, je m'assois sur le sol avec joie et avec une totale acceptation. Mais s'il y a des chaises, pourquoi m'assoirais-je sur le sol? Je vais prendre place sur une chaise avec le même plaisir.

Une participante me confiait, lors d'un atelier, qu'elle n'était pas attachée aux valeurs matérielles. Mais, en rentrant chez elle, son mari lui dit qu'il avait enregistré une émission de télévision qui l'intéresserait à coup sûr. Lorsqu'elle jeta un coup d'œil sur la vidéo cassette utilisée, elle constata qu'il s'agissait de celle contenant les prises de vue de ses enfants alors qu'ils étaient petits. Elle entra alors dans une colère qui s'exprima par des cris et des pleurs. Ce n'est qu'une fois l'orage passé qu'elle réalisa à quel point elle était attachée à des souvenirs, oubliant que ceux-ci étaient inaltérables dans son cœur.

Ce genre d'attachement est souvent source de souffrance lorsque nous perdons l'objet qui y est associé: par exemple la bague qui nous vient de notre défunte mère; la montre en or de notre père, dont un autre que nous a hérité; la perte de photos auxquelles on tenait beaucoup.

Cet attachement aux souvenirs nous empêche parfois de vivre le moment présent, dans notre ardeur à vouloir le prolonger.

Prenons l'exemple de cet homme qui a été autorisé à assister à la naissance de son enfant et qui, dans son désir de conserver ces moments sur pellicule, emporte son appareil photo dans la salle d'accouchement. Lorsque l'enfant est sur le point de naître, le père surveille dans la lentille le moment sublime où apparaîtra la tête. Il prend photo après photo. Qu'est-ce qu'il a vécu comme moment intense avec son épouse? Rien. Il n'était pas auprès d'elle, à lui tenir la main et à partager avec elle cet événement. Il était derrière son appareil.

Lorsqu'on est trop empressé à vouloir conserver le souvenir de moments merveilleux, on oublie parfois de les vivre. Les photos que nous prenons d'un endroit que nous visitons reflètent le désir subtil de s'approprier cet endroit.

Chaque jour qui passe nous donne le privilège de nous créer de nouveaux moments heureux. Car, ainsi que nous l'avons déjà vu, chaque instant prépare le suivant.

Si nous vivons dans le regret et la nostalgie, nous ne pourrons qu'en être malheureux. Si, au contraire, nous tirons le meilleur du moment présent, nous connaîtrons la plénitude.

Rappelons-nous que les souvenirs, heureux ou malheureux, ne sont que des partitions jouées avec les personnages d'un film qui est maintenant révolu.

Plus nous profitons d'une chose ou d'un moment, plus il nous est facile de nous en détacher. Le problème réside dans le fait que nous ne savons pas toujours jouir au maximum de ce que nous avons.

Car le désir nous entraîne à vouloir toujours plus et toujours mieux. On veut plus de succès, plus de clients, plus d'argent, plus de reconnaissance, etc. Dès que nous avons fait l'acquisition d'un objet, nous commençons à rêver au prochain. Ce désir est fortement activé dans nos sociétés de consommation où la publicité est omniprésente. On travaille continuellement pour s'offrir la maison, la voiture, le mobilier rêvés.

Un jeune couple qui assistait à l'une de mes conférences sur le détachement, me confia que dans leur désir d'acquérir une maison, ils s'étaient astreints à économiser sou par sou et même à occuper un second emploi. Ils n'avaient ainsi presque plus le temps d'être ensemble et ils se privaient continuellement de petits plaisirs que leur budget trop serré ne leur permettait pas de s'offrir. Reconnaissant combien leur désir les avait rendus esclaves, ils en reportèrent l'exécution à quelques années plus tard afin de profiter davantage de la vie.

Il ne faut cependant pas confondre détachement et renoncement. On ne peut se détacher de ce qui est réprimé. Réprimer un désir, c'est lui donner de la force. On ne peut se détacher de ce que l'on désire au plus profond de son être avant de l'avoir obtenu ou réalisé. Tant que l'on ne peut dire: «J'ai eu; j'ai obtenu», le désir est là.

Réprimer le désir, c'est s'emprisonner. Et ce dernier risque alors d'être transformé en jalousie, en jugements ou en mensonges vis-à-vis de soi-même.

Lorsque j'étais enfant, je ressentais un immense désir de voyager, et c'est ce qui m'a motivé à vouloir devenir hôtesse de l'air. Je n'ai pas occupé cet emploi, mais j'ai tellement voyagé que cela n'a plus la même importance pour moi. Aujourd'hui, je me déplace pour mon travail et si je devais renoncer aux voyages, cela ne m'affecterait nullement.

Mais une personne qui ferait le même rêve et qui ne pourrait le réaliser pourrait en ressentir de la frustration. Et au lieu d'admettre honnêtement que c'est là son désir et de tenter de le réaliser, elle pourrait en arriver à ridiculiser les personnes qui voyagent, à les traiter de pédants ou de prétentieux. Comment cette personne peut-elle se détacher de son désir, vu que celui-ci n'a même pas été satisfait?

Tant qu'une chose a de l'importance pour nous, c'est signe que nous n'en sommes pas détachés. Pour réussir ce détachement, il faut tout d'abord reconnaître son désir, pour ensuite le réaliser et en profiter au maximum, puis finalement s'en détacher. Le détachement est intégré lorsque les objets et les événements n'ont plus d'importance pour nous. Si l'on ne veut pas réprimer un désir, ni en être l'esclave, l'idéal est de le transformer en aspiration.

Le désir donne très souvent naissance à des attentes qui, à leur tour, se transforment en satisfaction ou en déception. L'aspiration, quant à elle, offre tout un éventail de possibilités du point de vue de la réalisation.

Par exemple, si nous désirons acquérir telle maison, nous pourrons être heureux d'en devenir propriétaire, et malheureux dans le cas contraire. Alors que si nous aspirons à vivre dans un endroit agréable ou dans un décor enchanteur, nous nous ouvrons à plein de possibilités. Nous pouvons louer un très bel appartement ou une coquette maison à cet endroit. Ou nous pourrons occuper une luxueuse résidence que les propriétaires auront mise à notre disposition pendant la période qu'ils passeront à l'étranger.

En transformant nos désirs en aspirations, nous y gagnerons en paix, en joie et en harmonie.

Une autre excellente façon de se détacher du désir d'avoir toujours plus consiste à apprécier ce que l'on possède déjà. Ainsi, on se sent comblé.

L'homme vraiment riche est celui qui n'a plus aucun désir.

L'homme vraiment heureux est celui qui, étant lui-même comblé, n'aspire qu'à devenir un instrument pour rendre les autres heureux.

SE DÉTACHER DES PERSONNAGES ET DE LEURS RÔLES

Une femme rêvait d'avoir un enfant. Après quelques années d'attente, son rêve se réalisa enfin. Elle devint enceinte et mit au monde un joli petit garçon rayonnant de santé. Il était sa joie et son univers. Chaque jour, elle s'émerveillait de le voir jouer, rire et grandir. Un jour qu'il jouait dans le jardin, sa mère le trouva soudain inerte. Le croyant endormi, elle tenta de le réveiller. Rien n'y fit. Elle se mit alors à pleurer et à crier. Un homme qui passait par là, vint vers elle et lui dit: «Regarde, ton fils a été mordu par un scorpion; il est mort.» La mère ne pouvait le croire. Comment cet enfant plein de joie et de vie quelques moments plus tôt pouvait-il être mort? L'homme poursuivit: «Il y a un vieux sage qui vit seul sur la colline, peut-être pourra-t-il ramener ton fils à la vie.» La femme alla le rencontrer. Le vieux sage lui dit: «Je pourrai peut-être ramener ton fils à la vie, mais pour cela, tu dois m'aider. Va au village et rapporte-moi une poignée de semence provenant d'une maison où il n'y a jamais eu de décès.»

Elle partit et frappa à une première porte: «Pouvez-vous me donner une poignée de semence pour mon fils? Mais avant, dites-moi si quelqu'un est déjà mort dans votre famille.» Une femme lui répondit: «Oh oui l'an dernier, j'ai perdu mon mari que j'aimais tant.» À une autre maison, c'était la mère qui était décédée, à une autre encore, c'était le frère, ou la sœur, ou l'enfant, etc. Après avoir frappé à toutes les portes, la femme comprit. Elle revint vers le sage pour lui demander de lui apprendre le détachement.

Nous avons tous connu la souffrance reliée à la perte d'un être cher (décès, séparation). L'erreur des générations passées a été de confondre AMOUR et ATTACHEMENT.

L'amour est une communion qui s'établit dans la confiance, le respect et une totale liberté. C'est l'union de l'époux et de l'épouse, la tendresse de la mère pour l'enfant, le respect de la collectivité. Et le plus grand amour, c'est la fusion avec le TOUT.

Comment pouvons-nous parler d'amour si nous aimons seulement les personnes qui partagent nos idées ou qui nous procurent de la satisfaction?

Comment pouvons-nous parler d'amour quand nous critiquons, jugeons ou condamnons les autres au nom de principes moraux ou soi-disant religieux?

Comment pouvons-nous aimer les autres quand nous voulons les changer ou que nous cherchons à limiter leur liberté de penser, de choisir et d'agir?

Nombre de parents qui croient aimer leurs enfants les enferment à l'intérieur de barrières d'obligations, craignant de les perdre ou que les autres puissent les juger sur leur rôle de parent:

- Tu ne fréquenteras pas telle personne.
- Tu ne sortiras pas ce soir.
- Tu ne regarderas pas telle émission de télévision.
- Je ne veux pas que tu ailles à tel endroit.»
- Tu vas suivre tel cours.
- Tu vas te faire couper les cheveux.
- Tu vas changer de vêtements.
- Tu es trop jeune pour..., etc.

Aimer son enfant, c'est le guider, lui faire confiance et le laisser libre de vivre ses propres expériences.

Que de parents harcèlent leurs enfants pour qu'ils obtiennent de bons résultats scolaires! Certains enfants ont tellement peur d'échouer ou d'avoir de mauvaises notes qu'ils se donnent mille excuses pour ne pas réussir, soit en négligeant leurs études, soit en s'y prenant à la dernière minute. Ainsi, si leurs résultats sont insatisfaisants, on ne pourra pas penser qu'ils sont incapables; on attribuera ce mauvais score au manque de temps alloué à l'étude. D'autres s'arrangeront pour subir un échec, uniquement pour résister au parent qui le pousse.

Il ne faut pas confondre le détachement avec l'indifférence. L'indifférence est une absence d'intérêt qui se traduit par de la froideur, laquelle masque de l'aversion, de la rancune ou de la haine. Dans le détachement, l'amour est présent mais il n'est ni possessif ni limitatif.

Se détacher ne signifie donc pas être indifférent aux résultats scolaires de son enfant; cela implique de lui en laisser la responsabilité en lui faisant prendre conscience que c'est pour lui qu'il étudie, qu'il investit ainsi dans son avenir, et que cela lui appartient.

Dans une relation de couple, l'attachement relié à la peur de perdre la personne qu'on aime, nous amène parfois à devenir soupçonneux, jaloux, possessif et étouffant. Cette façon d'agir finit par détruire la plus belle relation.

Le détachement n'exclut pas l'engagement. Il ne s'agit pas de dire à son conjoint: «Tu vois, si tu m'aimes, tu dois me laisser libre d'avoir des relations sexuelles avec d'autres partenaires.» Non! Dans un couple, les relations sexuelles relèvent de l'engagement. Aussi est-il important de bien déterminer si l'accord conclu entre les deux partenaires sera basé sur l'exclusivité ou la liberté sexuelles.

L'attachement aux personnages de notre scénario peut nous faire vivre de la souffrance lorsque ces personnages ne font plus partie du film.

Le chagrin naît de l'ignorance et d'un sentiment de possession, non du départ de l'être cher. Car tout continue. L'acteur change tout simplement de scénario, de rôle et de costume. La vie est éternelle. Ce sont les scénarios, les personnages et les costumes qui sont éphémères.

Vivre, c'est composer quotidiennement avec les lieux, les événements et les personnages qui constituent notre vie. Tout ce qui faisait partie d'hier est maintenant chose du passé. Demain n'est pas encore arrivé. Il sera certes, dans une certaine mesure, la continuité d'aujourd'hui (qui est fait d'hier), mais il y entrera des éléments nouveaux avec lesquels il nous faudra transiger.

LE CAS DE JEAN-LOUIS

Jean-Louis est venu me consulter pour un épuisement professionnel (*burn out*). Ce n'était pas son travail qui était en cause, mais une forte émotion qu'il avait refusée: la mort de son fils de dix-huit ans. Il ne cessait de parler de lui, de montrer sa photo en disant: «Regarde comme il était beau, il était si intelligent! Il avait toujours été en bonne santé...»

Son attachement au personnage qui, pendant une certaine période de sa vie, avait joué le rôle de son fils l'avait conduit à perdre le goût de vivre.

Il me confia que quelques mois après son décès, il était retourné au cimetière pour se recueillir sur sa tombe. Il était là à pleurer, lorsque soudain, une voix se fit entendre: «Je ne suis pas là, regarde vers le soleil, je suis là.»

Cette expérience avait bouleversé Jean-Louis mais ce ne fut pas suffisant pour lui faire comprendre que ceux qui nous ont quitté ne sont plus là où ils étaient mais qu'ils sont toujours là où nous sommes.

Quand le moment sera venu de quitter à notre tour la scène, nous devrons nous détacher des liens affectifs que nous aurons noués avec nos enfants, notre conjoint, notre famille, nos amis. Si le détachement n'est pas intégré, quelle souffrance nous aurons à vivre!

En étant conscient que nous ne faisons que jouer un rôle, nous éviterons de confondre les autres acteurs avec leurs personnages. Ainsi nous ne pourrons plus juger ceux qui jouent des rôles de drogués, de prostituées, de voleurs. Trop souvent, nous haïssons les personnes qui nous entraînent dans des scènes de frustration, de violence ou d'exploitation, sans savoir que c'est notre propre personnage qui les a attirés vers nous.

Parfois, nous nous rendons malheureux à voir souffrir des personnages de notre scénario. Imaginons un instant un acteur qui assume le rôle d'un prince comblé et qui souffre du fait qu'un autre acteur joue le rôle d'un lépreux. Sa réaction nous paraîtra aberrante, et même ridicule.

Si nous faisons une différence entre le film et notre vie, c'est que nous ignorons notre véritable nature et que nous nous identifions à notre personnage et refusons de connaître la vérité qui pourrait nous émanciper. C'est ce que voulait signifier le Christ avec ces paroles: *La vérité vous affranchira.*

> *Le secret du bonheur est d'être actif tout en sachant parfaitement qu'il ne s'agit que d'une comédie et que vous êtes tous des acteurs sur la scène immense de l'Univers.*
>
> Saï Baba

Lorsque nous aurons bien compris qu'il ne s'agit que de rôles que nous jouons, il nous appartiendra de quitter les rôles qui nous font souffrir pour en assumer d'autres. C'est là que se situe notre libre arbitre. Nous pouvons subir les conséquences de ces rôles ou nous pouvons les modifier pour leur donner une nouvelle tangente.

À l'époque où je découvris qu'en changeant le scénario du film de ma vie, je pouvais transformer les situations douloureuses vécues à répétition, j'étais loin de me douter à quel point cela était véridique.

Aucun rôle n'est plus important qu'un autre, car ils font tous partie de la chaîne de continuité qui conduit au réveil de l'acteur. Cependant, il nous est possible d'atteindre la libération en quittant le plateau de tournage pour délaisser les scènes de peur, de joie et de souffrance qui s'y déroulent continuellement. Manquer cette chance, c'est passer à côté de l'objectif poursuivi sur cette terre.

> *Toute vie qui n'est pas un cheminement sur la voie est une vie gâchée, comme celle d'une graine qui meurt sans avoir germé et donné une plante.*
>
> Arnaud Desjardins

Certains acteurs déjà éveillés assument le rôle d'éveiller les autres acteurs. Ce n'est pas une tâche facile, car ils risquent ainsi d'être incompris, ridiculisés, rejetés et parfois persécutés. C'est pourquoi les véritables intéressés endossent de nouveaux costumes et jouent de nouveaux rôles, car ils refusent de quitter le film de *La grande comédie humaine*, celui que les Raja-yogis appellent le «Drame éternel du monde».

RÉVEILLER L'ACTEUR EN NOUS

L'acteur peut endosser une quantité de personnages, très différents les uns des autres, allant du plus grossier au plus gentil. L'acteur c'est l'*Atma*, l'âme ou le Soi suprême, la réalité divine masquée par l'apparence. C'est l'Absolu dans l'être humain.

L'acteur est revêtu de cinq enveloppes (comme nous l'avons vu à la page 82 du chapitre III).

En fait, toutes ces enveloppes de l'*Atma* ou du SOI ne sont que des instruments, des véhicules.

Le mental assume cependant un double rôle: s'il s'identifie au corps physique (costume) et à la personnalité (pensées -sentiments - émotions - tendances) transitoire, il développera une conscience individuelle (*ahamkara*): il s'agit de l'**ego** séparateur ou du personnage; s'il s'identifie au principe supérieur, il développera la partie *aham*, le «Je suis», le TOUT, l'Absolu, Dieu, etc.

Le but de toute discipline spirituelle est d'unir le *jiva* (l'équivalent d'un rayon de soleil ou de la vague sur l'océan) et l'*atma* (le soleil ou l'océan)[1].

L'être, ou le *jiva*, qui a oublié sa véritable nature peut croire qu'il est le personnage (l'**ego** ou l'illusion). Étant convaincu de son existence propre, il se croit différent et séparé des autres personnages.

Aussi est-il porté à se comparer à eux. S'il se considère supérieur ou plus favorisé que les autres, il ressentira de l'assurance, de la fierté, de l'orgueil ou de la culpabilité. C'est ainsi qu'il se permettra:

- de juger les autres,
- de les critiquer,
- de leur faire la morale,
- de leur dire ce qu'ils devraient faire ou ne pas faire,
- de vouloir ou de décider à leur place,
- de se croire indispensable,
- de se prendre pour un sauveur.

Il joue alors le rôle du contrôleur et il s'attire beaucoup de résistance de la part des autres personnages.

Parfois, cependant, il se sent dévalorisé et défavorisé par rapport aux autres personnages. Il en vit alors de la tristesse et crie à l'injustice, en rendant le monde et les autres responsables:

- de ses manques,
- de ses frustrations,

1. L'auteur rappelle au lecteur que les termes «soleil» ou «océan» ne sont utilisés que pour faciliter la compréhension puisque l'*atma* ne peut être identifié à quoi que ce soit.

- de ses difficultés,
- de ses insatisfactions.

Ce personnage veut survivre à tout prix. C'est ce qui le conduit à vivre bien des peurs, dont celle:

- de l'inconnu,
- de la solitude,
- de perdre la maîtrise de la situation,
- de souffrir,
- ou de mourir.

Alors, il se protège en se méfiant des personnages qui pourraient le faire souffrir. C'est ainsi que:

- Il résiste à tout changement;
- Il s'accroche à différents systèmes de croyances ou de valeurs;
- Il ferme son cœur plutôt que de prendre le risque de vivre des émotions susceptibles de lui faire mal;
- Il évite de s'engager pour mieux dominer la situation;
- Il quitte l'autre avant que celui-ci le quitte afin de se convaincre qu'il valait mieux que lui.

Pour assurer sa survie et minimiser le risque de souffrance, il cherche à acquérir toujours plus:

- d'appréciation,
- de satisfaction,
- d'affection,
- de valeurs matérielles,
- de titres,
- d'autorité,
- de pouvoir...

S'il n'y arrive pas, il pourra en ressentir un profond sentiment d'impuissance et croire que sa vie est un perpétuel combat, ce qui lui fera vivre:

- de l'angoisse,
- de l'anxiété,
- du défaitisme,
- de l'apitoiement,
- du négativisme.

Quelquefois, ce personnage est si malheureux qu'il souhaite quitter la scène où il ne joue que des rôles de souffrance. Il songe alors au suicide en étant inconscient du fait que le film va continuer à se dérouler, sur d'autres scènes, avec un nouveau costume.

Ce n'est pas le personnage qu'il faut détruire, c'est l'acteur qu'il faut réveiller afin qu'il cesse de s'identifier à ce personnage qui a peur et qui souffre. Pour ce faire, il devra s'appuyer sur son mental supérieur, qui recherche la connaissance, et sur son intelligence intuitive, qui l'aidera à intégrer cette connaissance par l'expérimentation et la réalisation.

La connaissance est la première étape à franchir mais elle ne pourra mener, par elle seule, au dernier *satori* que l'on appelle *samadhi*, cet état d'union parfaite avec la Divinité. Ce n'est qu'à ce stade que surgit la sagesse supérieure, là où la vision est claire, sans aucune distorsion. C'est la position du parfait «témoin» vis-à-vis de tout ce qui arrive.

On y accédera par la pratique d'une discipline spirituelle qui nous aidera à détruire les racines de l'«ego-isme». Cette discipline consistera à porter une attention soutenue à l'*Aham*, l'Unité, le Tout, au détriment des intérêts du personnage (l'**ego**).

Plus cet **ego** se dissoudra, tel une statue de sel dans l'océan, plus l'être se rapprochera de l'état de *samadhi*. Cette dissolution peut s'effectuer de façon graduelle ou soudaine. Lorsqu'elle est accomplie, l'union parfaite avec la Divinité, l'Absolu ou Dieu se réalise. Toutes les techniques de méditation visent cet objectif.

Un homme qui s'exerçait depuis quelque temps à la méditation alla retrouver un grand sage afin qu'il l'accepte en tant que disciple. Après avoir laissé devant la porte son parapluie et ses chaussures trempés, il entra dans la demeure. Quand il eut fini de présenter ses respects au maître, celui-ci lui demanda s'il avait déposé son parapluie à gauche ou à droite de ses chaussures. Le visiteur fut surpris et incapable de répondre. Le sage dit:

- Retourne méditer sept ans de plus».
- Sept ans pour une si petite faute! s'exclama le candidat.
- Aucune faute n'est grande ou petite, répondit le sage. Tu ne vis pas de façon méditative, c'est tout.

La véritable méditation, c'est cet amour et cette attention donnés à tout ce qui nous entoure, car tout est Unité, tout est Divinité.

Pour réveiller l'acteur en nous, il nous faut développer cette attention. Ainsi, nous pourrons observer à chaque instant:

- Que le monde dans lequel nous évoluons change sans cesse;
- Que tout ce qui plaît à nos sens n'a qu'une durée très limitée;
- Que ce que nous considérons comme le bonheur n'est qu'un intervalle entre deux moments de souffrance;
- Que l'équanimité résultant du détachement des rôles des personnages est source de paix;
- Qu'il est insensé de cultiver de la rancune ou de la haine envers des personnages qui n'ont fait que nous donner les réparties de leur rôle;
- Que le véritable bonheur recherché par tous les êtres se situe dans l'Unité, avec la Divinité;
- Et que la meilleure façon d'aimer l'Unité ou Dieu est de servir la multiplicité.

Car j'ai eu faim et vous m'avez donné à manger; j'ai eu soif et vous m'avez donné à boire; j'étais étranger et vous m'avez recueilli; j'étais nu et vous m'avez vêtu; j'étais malade, et vous m'avez rendu visite; j'étais en prison et vous êtes venus vers moi. Les justes lui répondirent:

«Seigneur, quand t'avons-nous vu avoir faim et t'avons-nous donné à manger; ou avoir soif, et t'avons-nous donné à boire? Quand t'avons-nous recueilli; ou nu, et t'avons-nous vêtu? Quand t'avons-nous vu malade, ou en prison et sommes-nous allés vers toi?» Le Christ leur répondit: «En vérité, je vous le dis, toutes les fois que vous avez fait ces choses à l'un de mes frères, c'est à moi que vous les avez faites.»

(Matt. 25.31)

Avons-nous besoin d'un instructeur, d'un maître ou d'un gourou pour y arriver?

Le sens du mot «gourou» est relié au concept de la spiritualité. En sanskrit, la syllabe *gu*[1] signifie «obscurité», «ignorance», et *ru*[1], «qui enlève».

Le gourou est donc un éveilleur, un porteur de lumière qui aide ses étudiants à éliminer l'ignorance (l'obscurité) qui les garde prisonniers de l'interminable film: *Le Drame éternel du monde*.

Il faut cependant distinguer deux types de gourou.

- Il y a le SOI (l'*Atma*), ou Maître intérieur. On entre en contact avec lui lorsqu'on s'y abandonne totalement et que l'on atteint le calme mental nécessaire pour l'entendre.

Voici un exemple de technique de méditation qui crée ce calme mental appelé *shiné* en tibétain (de *shi*: apaiser et *né*: pacifier).

D'abord, nous posons notre attention sur notre respiration ou sur un objet extérieur. Il ne s'agit pas d'éliminer toute pensée mais d'en réduire le flot au minimum afin d'appliquer la vision pénétrante en se posant, par exemple, les questions suivantes: «D'où vient cette pensée? Quelle est sa nature (supérieure ou inférieure)? A-t-elle une existence? Etc.»

On observe alors un cycle: la pensée apparaît, se stabilise puis disparaît. Entre deux pensées, nous apercevons fugitivement la

1. Se prononcent *gou* et *rou* et s'écrivent ainsi en français.

Nature de l'Esprit: vide, clarté, luminosité. La méditation consiste à demeurer dans cette compréhension; les pensées se déroulent d'elles-mêmes sans obstruction. Il n'est pas nécessaire de les arrêter car cela ne servirait qu'à créer une chaîne de pensées plus abondantes.

Lorsque ce calme mental est atteint, trois types d'expériences peuvent se manifester:

- Clarté dans la conception de son corps et de l'environnement;

- Félicité intense qui nous envahit;

- État où les concepts disparaissent.

• Le second type de gourou ou d'instructeur, quant à lui, est extérieur.

Les bons gourous sont rares et les gourous parfaits le sont encore plus. Cependant, même un instructeur imparfait peut nous faire avancer sur la voie de l'évolution.

Il ne faut pas le chercher, mais plutôt se préparer à sa rencontre en faisant porter ses efforts sur l'étude, l'amélioration personnelle et l'élévation de ses fréquences vibratoires. Lorsque le disciple est prêt, le maître apparaît.

Le véritable maître ne donne pas toujours au disciple ce qu'il désire, mais plutôt ce dont il a besoin.

Une participante m'a un jour raconté qu'elle avait été en thérapie pendant plus d'une année et qu'elle était convaincue de s'être libérée du sentiment de rejet qui l'avait tant fait souffrir.

Mais elle me signala en même temps que je lui faisais revivre ce sentiment de façon très intense. Étais-je donc responsable de ses états d'âme?

La vérité est que connaissant sa vulnérabilité, sa thérapeute faisait très attention de ne pas réveiller ce sentiment de rejet qui la poursuivait alors que, par ma façon d'agir, je la mettais (bien inconsciemment) face à ce sentiment dont elle ne s'était pas libérée.

Cette personne avait eu besoin de cette première thérapeute pour travailler doucement là-dessus. Maintenant qu'elle était prête à dépasser son sentiment négatif, elle s'attirait l'instructeur qui l'aiderait à y faire face. Elle me disait: «Voilà près de deux ans que j'aspirais à cette rencontre, et j'ai l'impression de ne pas compter pour toi.»

Cela me rappela ma propre expérience auprès de ce très grand Maître qu'est Saï Baba. J'avais franchi une très grande distance, laissant tout derrière moi et j'aspirais tellement à recevoir un sourire ou un regard... qu'il ne m'adressa même pas. Mais ce que j'ai reçu est inestimable.

Nous sommes tous à la fois apprentis et enseignants. Un guide ne peut amener des gens que là où il est allé lui-même. Nous pouvons aider d'autres personnes à faire le bout de chemin que nous avons parcouru et nous attirer ainsi un instructeur plus avancé qui nous aidera à aller toujours plus loin.

Quel que soit l'instructeur choisi, nous ne devrions jamais le suivre aveuglément, mais prendre plutôt ce qu'il nous donne et nous en servir pour nous réaliser.

La façon de savoir si la voie proposée nous conduira vers le sommet de la réalisation consiste à vérifier si les enseignements donnés nous rendent plus heureux, et s'ils amènent plus de paix et d'harmonie dans notre vie.

Si la réponse est affirmative, suivons ce guide. Prenons le meilleur de ce qu'il nous offre, **sans lui demander d'être lui-même parfait**. Car n'oublions pas que notre instructeur peut être engagé dans un cheminement plus avancé et soumis à des expériences difficiles qui sont nécessaires à sa réalisation.

Changer constamment de gourou ou le dénigrer dénote de l'immaturité spirituelle. La meilleure attitude à développer, devant quelqu'instructeur que ce soit, est l'humilité, le respect et la reconnaissance pour ce qu'il nous apporte.

Quand nous aurons appris tout ce qu'il pouvait nous enseigner, nous serons naturellement dirigé vers un autre instructeur qui nous guidera à son tour dans une nouvelle étape. Si nous demeurons sans instructeur pendant une longue période, c'est que nous n'avons peut-être pas fini d'intégrer tout ce que le précédent nous avait enseigné.

Il est bon de se rappeler que l'instructeur peut se manifester autrement que par une présence physique.

Le gourou honnête est celui qui conduit ses étudiants aussi loin qu'il est rendu lui-même, pour ensuite les conseiller ou les encourager à aller vers un gourou plus avancé.

Petit aide-mémoire à intégrer à sa vie de tous les jours pour libérer l'acteur en nous.

1. Prenons refuge dans les six perfections (*paramitas*):
   - l'amour,
   - la compassion,
   - la patience,
   - la générosité,
   - la sagesse,
   - la paix.

2. Transformons:

   - l'égoïsme, par l'écoute et le service aux autres;
   - le désir, par l'aspiration au bonheur et à la paix;
   - l'aversion ou la colère par l'équanimité, en se rappelant que, sous les couches de notre personnalité, nous sommes tous l'émanation d'un même principe;
   - l'attachement (matériel, affectif et idéologique), par la mémoire et la vigilance concernant notre véritable nature;
   - les jugements, les calomnies, la médisance, par le silence.

3. Abandonnons-nous à notre maître intérieur et laissons-le nous guider sur la voie de la réalisation.

4. Sachons rire des étiquettes attachées à notre nom, à notre forme, à nos rôles et à notre personnalité, sachant qu'aucune n'est nous.

5. Fixons notre pensée le plus souvent possible sur l'Unité, l'ensemble, le «Je suis» ou Dieu.

6. Soyons un exemple de joie, d'amour et de bonheur pour notre entourage.

7. Maîtrisons notre mental en apprenant à lui donner une direction, grâce à la concentration et à la méditation.

8. Utilisons notre discernement dans tous les domaines de notre vie, en reconnaissant ce qui nous est favorable et en éliminant ce qui ne l'est pas.

9. Vivons l'instant présent, en sachant qu'hier est une illusion et que demain en est une autre.

10. Devenons aussi simple qu'un enfant, en mettant de côté notre savoir intellectuel pour faire de notre vie un jeu.

11. Acceptons notre impuissance face au fait d'aider ou de réveiller les endormis, de faire entendre les sourds et voir les aveugles.

12. Enfin, aimons tout, parce que nous sommes Dieu, et que Dieu est tout.

OM SHANTI

OM: «Tout»
SHANTI: «paix»

BIBLIOGRAPHIE

Barodo-Thödol: *le livre tibétain des morts*, Lama Anagarika, Albin Michel

La Bhagavad-Gîta telle qu'elle est, Éditions Bhaktivedanta

Comment il se fait qu'après la mort nous vivions et quel sens a la vie, Dr Richard Steinpach, Éditions de la Stiftung Gralsbotschaft

Dhammapada, Guy Serraf, Éd. Louise Courteau

Dieu est Unité, Sathya Sai Seva Foundation

Dictionnaire des religions, Éd. Plon

L'homme et ses corps, Annie Besant, Éd. Adyar

La marche vers l'éveil, Shântideva, Éd. Padmakara

La réincarnation, Éditions Récré Ltée

La voie du non-attachement, V.R. Dhiravamsa, Éditions Dangles

L'éternel retour de l'âme, Benoît Duché, Cariscript

Le secret des Siddhas, Swami Muktananda, Éditions de la Maisnie

Le seigneur du lotus blanc, Claude B. Levenson, Le livre de poche

Les religions de l'humanité, Michel Malherbe, Critérion

*Qu'est-ce que l'*Advaïta Vedãnta?, Les deux Océans

Discourses on the Bhagavad Gita, Bhagavan Sri Sathya Sai Baba, Éd. A. Drucker

LIVRES SUGGÉRÉS

Tous les livres d'Arnaud Desjardins, mais plus particulièrement:
Au-delà du moi, La Table Ronde

Demeure de paix suprême, Michel Coquet, L'Or du temps et Marcel F. Disch

Le pouvoir de choisir, Annie Marquier, Les Éditions Universelles du Verseau

Tous les livres d'Osho Rajneesh, notamment:
Le Sutra du Diamant, Le Voyage intérieur
Mourir et renaître, Le Voyage intérieur

Urane, Joseph Stroberg, Arista

Un, Richard Bach, Éd. Un monde différent

ANNEXE

Par ses livres, ses conférences, ses émissions de télévision ainsi qu'avec le Centre de Métamédecine qu'elle a fondé, Claudia Rainville contribue à un plus grand éveil de conscience chez les personnes en quête d'un mieux-être.

En se basant sur l'approche de sa fondatrice, le Centre de Métamédecine offre les services de thérapies individuelles et de groupes ainsi que des ateliers dont:

La libération des mémoires émotionnelles
Se guérir soi-même par la métamédecine
L'abandon corporel et le mouvement créatif
La honte et ses multiples visages
La vision, le retour à la clarté
Le défi d'être soi-même
Éveil à la spiritualité

De plus en plus sollicitée comme conférencière tant au Québec qu'en Europe, Claudia Rainville offre un volet formation pour ceux et celles qui désirent approfondir son approche thérapeutique.

Et pour ceux et celles qui aiment combiner plaisir et découvertes, Claudia propose des voyages-ateliers en République dominicaine durant l'hiver et dans les Alpes suisses pendant la période estivale.

Pour renseignements sur les thérapies, ateliers ou voyages-ateliers, ou pour recevoir le programme de ses ateliers et conférences, contacter:

Le Centre de Métamédecine Claudia Rainville
9440 A, Henri-Bourassa,
Charlesbourg, Qc
Canada
G1G 4E6
Tél.: (418) 626-1133 Fax: (418) 848-5442

TABLE DES MATIÈRES

AVANT-PROPOS 11

Chapitre

I La recherche du bonheur 15

II Grandir 49

III Se découvrir 79

IV La loi universelle, karma et dharma 103

V Réincarnation ou contunuité 141

VI Les religions dans le monde 165

VII Notre véritable nature 203

VIII Renaître 241

Bibliographie 265

Livres suggérés 266

Annexe 267

BON DE COMMANDE

J'aimerais que vous me fassiez parvenir le(s) livre(s) suivant(s):

( )	PARTICIPER À L'UNIVERS, sain de corps et d'esprit	23,50 $ (Taxes incl.)
( )	VIVRE EN HARMONIE AVEC SOI ET LES AUTRES	23,50 $ (Taxes incl.)
( )	RENDEZ-VOUS DANS LES HIMALAYAS (Tome I) Ma quête de vérité	23,50 $ (Taxes incl.)
( )	RENDEZ-VOUS DANS LES HIMALAYAS (Tome II) Les enseignements	23,50 $ (Taxes incl.)
	Frais d'envoi	3,00 $
	Total:	____ $

Je joins:

☐ un chèque de: ____________________

☐ un mandat-poste de: ____________________

☐ no carte Visa: ____________________

☐ no carte Master Card: ____________________

Date d'expiration de ma carte: ____________________

Nom: ____

Adresse: ____

Ville: ____

Code postal: ____________________ Téléphone: ______________

Postez ce bon à: **Éditions F.R.J. inc.,**
153, du Sommet
Stoneham (Québec) G0A 4P0

ou téléphonez au: **(418) 848-4290**

Si vous désirez offrir ce volume en cadeau, dédicacé par l'auteure, inscrire le prénom de la personne sur cette ligne:

____